PABLO MARÇAL

DESTRAVAR DIGITAL

Copyright desta obra © IBC - Instituto Brasileiro De Cultura, 2022

Reservados todos os direitos desta tradução, pela lei 9.610 de 19.2.1998.

3ª Impressão 2023

Presidente: Paulo Roberto Houch
MTB 0083982/SP

Coordenação Editorial: Priscilla Sipans
Coordenação de Arte: Rubens Martim
Revisão: Aline Ribeiro

Vendas: Tel.: (11) 3393-7727 (comercial2@editoraonline.com.br)

Foi feito o depósito legal.

Dados Internacionais de Catalogação na Publicação (CIP)
(eDOC BRASIL, Belo Horizonte/MG)

M313d	Marçal, Pablo. O destravar digital / Pablo Marçal. – Barueri, SP: Camelot, 2021. 15,5 x 23 cm
	ISBN 978-65-87817-44-6
	1. Empreendedorismo. 2. Marketing digital. 3. Sucesso nos negócios. I. Título.
	CDD 658.4

Elaborado por Maurício Amormino Júnior – CRB6/2422

IBC — Instituto Brasileiro de Cultura LTDA
CNPJ 04.207.648/0001-94
Avenida Juruá, 762 — Alphaville Industrial
CEP. 06455-010 — Barueri/SP
www.editoraonline.com.br

SUMÁRIO

INTRODUÇÃO 7

CAPÍTULO 01
A MENSAGEM, O ENVELOPE E AS ARTES.........11

CAPÍTULO 02
O COMEÇO DE UM NEGÓCIO DIGITAL.............. 21

CAPÍTULO 03
PRESENÇA DIGITAL...41

CAPÍTULO 04
DISTRIBUIÇÃO DE CONTEÚDO 55

CAPÍTULO 05
CAPITALIZAÇÃO DIGITAL..66

CAPÍTULO 06
CRIANDO UM MOVIMENTO....................................95

INTRODUÇÃO

Chegou a hora de você DESTRAVAR sua IDENTIDADE DIGITAL e monetizar pela Internet. Vou compartilhar com você o que mudou a minha vida e contar um pouco do que temos feito para destravar esta geração. Estamos à frente de um dos maiores movimentos de despertar digital que já houve no Brasil pela Internet. Estou gastando muita energia para ativar milhares de pessoas! Para tanto, revelarei todos os códigos para você começar a se mover e a prosperar. Este livro contém códigos ainda não revelados na Internet. Está preparado(a)?

O destravar digital não é sobre ganhar dinheiro. A primeira coisa é que não estamos aqui para ganhar dinheiro, mas para fazê-lo. O objetivo é ressaltar o modelo americano de *"make money"*, ou seja, não o ganhamos, nós o fazemos. Para isso, geramos as ideias e colocamos em prática.

Abrir caminhos, criar novas conexões e ter ideias inovadoras possibilitam colocar em prática novas ações e, com isso, colher novos resultados. No entanto, é necessário entender que o destravar começa no transbordo. Eu te desafio a me mostrar alguém que prosperou sem transbordar. O transbordo é aquilo que passa do limite. Então, diga: "Eu vou explodir os meus limites". Se isso acontecer, você conhecerá a potência que há em sua alma. Além disso, descobrirá que ela é um campo de energia. Você pode jogar toda a sua vida no lixo por não entender o seu propósito. Essa é uma chave, deixe isso explodir!

Quando a vida começar a transbordar, você entenderá que não é mais o que você estava pensando. As pessoas me questionam muito querendo que eu fale o que elas desejam ouvir. Você nunca vai ouvir o que quer de alguém que é livre! E eu sei que a coisa mais perigosa que Deus fez foi criar as pessoas "livres". Pense bem: você é livre para continuar sendo escravo, livre para permanecer sem sonhos, livre para ser controlado pelos outros, livre para se manter sem aprender e sem prosperar. **A liberdade é terrível!**

Quando um rio enche, ele não consegue mais segurar as águas e nem controlá-las. Assim, o transbordo é obrigatório. No momento em que você entender isso, passará a fazer sentido que a prosperidade é natural e que a pobreza é resistência. Ser artificial é ser resistente com aquilo que é natural. O que flui por meio de você alimenta muitas vidas. É necessário saber que tudo é questão de servir pessoas. Por isso, estou determinando a destravar a mensagem que há em seu coração. O mais interessante é que uma simples frase que ainda não saiu da sua boca vai destravar uma geração. Vão sair de você muitos códigos que ainda estão enterrados.

Tudo que é natural não pode ser acelerado, pois segue um processo. Contudo, o que é artificial pode, e a Internet é um potencializador de coisas que já existem em você, assim como é um acelerador de resultados. É como trocar seus chinelos por tênis de corrida. No entanto, se não tiver nada para entregar, o que você maximizará? Para ser um verdadeiro influenciador, você, primeiramente, precisa gerar valor em qualquer lugar, tanto no físico quanto no digital. Conecte-se à fonte, deixe-a jorrar em você e transborde naqueles que querem tê-lo como referência.

Estou convocando um EXÉRCITO DE GENERAIS para destravar a mensagem nesta geração. Então, *bora* tocar o terror na Terra?

Prosperidade é natural. Já a pobreza é resistência!

CAPÍTULO 01

A MENSAGEM, O ENVELOPE E AS ARTES

Deus quer nos usar como carteiros nesta geração. Por isso, existe uma mensagem que queima em seu coração, e ela tem que ser levada para todas as pessoas. Está ligada à sua arte, conectada à sua identidade, à sua essência e aos seus bloqueios. Há uma arte dentro de você que tem que ser colocada para fora, porque Deus, carinhosamente, tem uma mensagem para ser contada por meio de você.

Para "resetar" (recomeçar) esta geração, comprometo-me a ensinar você a levar a sua mensagem mais longe. Uma coisa é certa: quando ela queimar em seu coração, você não será capaz de se calar. As mensagens que começaram a arder dentro de mim estavam relacionadas ao meu propósito: resgate de famílias e casamentos, quebra de religiosidade e alienação, empreendedorismo, prosperidade em todas as áreas da vida, crescimento pessoal e ativação de pessoas para que transbordem o que sabem. Essas mensagens foram descobertas a partir de alguns dos meus bloqueios. Entendi que serei bem pago por qualquer coisa que eu faça para entregar a mensagem.

Toda vez que leio a história de José do Egito, apresentada no livro de Gênesis, ela me faz chorar. Sabe por quê? Porque, certo dia, percebi que qualquer coisa que fizeram comigo fará parte do meu propósito. Isso está diretamente relacionado ao fato de que: "Todas as coisas cooperam para o bem daqueles que amam a Deus e são chamados segundo o seu propósito". Se lhe colocaram na cadeia, você será usado para resolver alguma situação neste lugar, porque Ele usará a sua história.

Tudo o que acontecer com você será usado para transmitir a mensagem dEle.

Muitos me perguntam: "Como falar se não há quem ouça?". Se quer que as pessoas te ouçam, você precisa transmitir vida e valor por meio do seu *lifestyle*, que é o seu estilo de vida. Quando você ativar a sua identidade como eu, uma multidão te ouvirá e, consequentemente, entenderá que as pessoas "não queriam te ouvir até ontem", porque não enxergavam essa identidade.

Se você é alguém que está em busca apenas de sucesso, é

importante saber que essa "corrida dos ratos" não funciona. É uma tolice querer meramente ser bem-sucedido, porque ser sábio é escolher ser obediente àquilo que Deus te chamou. Quando Ele me manda fazer alguma coisa e, diante a algum motivo, eu não faço, parece que o meu coração explodirá em meu peito. Isso porque é prazeroso realizar o que Ele manda. Eu não suporto esconder a palavra de Deus, sem transbordar na vida das pessoas, pois é ela que sustenta tudo dentro de mim.

O que fazer quando a mensagem não queima em seu coração? Isso acontece porque ainda não surgiu alguém para acender a faísca que há em você. Ninguém consegue se ativar sozinho; uma brasa fora do braseiro se apagará. O segredo de manter o fogo aceso é este: somos brasas; e o que sustenta o fogo são as novas brasas. Precisamos uns dos outros para acender a fogueira, como foi com João Batista, que batizou Jesus, e, assim, o Mestre se ativou ao ouvir a voz do Deus vivo.

Acredite, você é uma faísca, entretanto a pólvora desta geração está molhada. Eu fui ativado por várias pessoas e me transformei em uma ogiva nuclear ao ponto de afastar algumas outras, porque é enorme a energia do Reino que há em mim. Ande com pessoas que têm o seu "calibre" e que estão no mesmo propósito. Assim, você será uma "bomba" que explodirá e ativará milhares de pessoas a cumprirem o propósito delas.

A mensagem que ainda não queima no seu coração começará a queimar, e esse é um processo pesado. O movimento para destravá-la e potencializá-la ativará sua identidade e clarificará o seu propósito. Você não faz ideia da quantidade de pessoas que serão transformadas por meio de sua vida, quando isso acontecer. Isso porque você é um canal de transformação!

Respire fundo, esfregue as mãos e mentalize, porque o que está em você sairá envelopado por meio de músicas, métodos, livros – ou melhor – por meio de sua arte. Afinal, a sua arte envelopará a mensagem.

Você tem uma arte para restaurar famílias, curar doentes, recuperar a autoestima das pessoas, tirando-as da depressão, ativando mentes multimilionárias e revolucionando a Terra por meio de seus livros. Tudo que você fizer será para o resgate da humanidade, e sua voz chegará aonde você nem imagina.

Toda arte que você transbordar será para resplandecer a glória de Jesus.

Tarefa: descubra a mensagem que queima em seu coração! Preencha a tabela abaixo com a ordem cronológica dos eventos que te marcaram desde a sua infância. Detalhe esses eventos e as sensações boas ou ruins. Eles estão relacionados ao seu propósito, que é impactar as pessoas por meio de sua história.

EVENTO	SENSAÇÕES BOAS	SENSAÇÕES RUINS

A TRAVA REALMENTE É NO DIGITAL?

Suas crenças controlarão você e te farão se curvar diante delas. Se você é daqueles que acreditam que "pau que nasce torto nunca se endireita", simplesmente você pensará que não conseguirá mudar seus resultados. Caso não abra a sua mente, suas crenças erradas se tornarão uma realidade constante e renovável, pois a verdade está naquilo que você decidiu acreditar. São essas crenças que te causam bloqueios emocionais e, em todas as vezes que você os ignora, reforça uma desculpa. Ainda que não acredite na existência deles, não quer dizer que você não os tenha.

Quando sente vergonha de postar um simples *story*, por exemplo, sua trava não está no digital, mas em você. Ela é emocional e precisa ser tratada.

Por que a maioria das pessoas não flui no digital? A resposta está nos bloqueios, e eu não conheço um ser humano que não tenha um. Se você me conhece há algum tempo, talvez já esteja procurando seu próximo bloqueio, pois sabe que precisa ser livre deles o quanto antes, caso queira prosperar. Não há problema em reconhecer isso, a questão é continuar com esses bloqueios. Isso porque seu bloqueio te faz mais forte, visto que tem intimidade com seu propósito. Portanto, ao identificá-lo, você tem a oportunidade de descobrir a mensagem que transformará outras vidas.

Você tem o remédio que as pessoas precisam para curar a dor delas!

Os principais bloqueios que você carrega e que impedem seu destravar são:

- aprendizagem;
- necessidade de aprovação;
- autoimagem;

- rejeição e complexo de inferioridade;
- não merecimento;
- escassez;
- criatividade;
- procrastinação;
- vitimismo;
- timidez;
- culpa;
- religiosidade;
- medo de errar.

Negá-los é a certeza de que você não terá resultados, nem no mundo digital e nem no físico.

Tarefa: faça uma lista detalhada de todos os seus bloqueios e descreva como eles afetam o seu destravar.

Saiba que eu identifiquei e já me desbloqueei de mais de 50 deles.

BLOQUEIOS	COMO TE AFETAM
Ex.: necessidade de aprovação	Impedem-me de gravar vídeos

A Internet precisa de gente que presta! Quem tem ação entra na rota, no movimento! Quem tem fato, tem cura!

Você PRECISA SER INTENCIONAL! Tudo o que fizer tem uma causa e a nossa é: **queremos revolucionar na Internet, destravar e mobilizar VOCÊ, General do Reino, para entrarmos com volume e velocidade e governarmos sobre a Terra, no *off* e no *on-line*.** Vou te ensinar como levar a sua mensagem para o mundo, porque ela precisa ir mais longe!

Talvez você não saiba que mais de 40% do tráfego na Internet mundial é pornografia, sem citar os demais conteúdos que trazem destruição para as famílias, incentivam a pedofilia, desvalorizam mulheres e todo tipo de lixo que tem intoxicado essa geração. A Internet precisa de gente de verdade, de valor, de pessoas do Reino para trazerem a transformação em um nível assustador.

O que faz as pessoas morrerem é a boca de uma pessoa boa se calar! Sua luta é trazer luz para o mundo e começar a transmitir vida. Sua boca fechada mata uma geração, portanto quero que você seja despertado e que a mensagem comece a queimar em seu coração. Isso porque agora você está no maior movimento de destravar de todas as artes que já aconteceram na Internet. Milhares de pessoas estão produzindo conteúdo de valor, despertando outras e sendo muito bem pagas para isso. Depois de ler este livro, você terá as ferramentas mais poderosas do marketing para explodir no mundo digital. A sua boca fechada mata!

Tarefa 1: você está preparado para entrar na causa do Reino? Escreva abaixo o que começará a fazer ainda hoje para isso.

_____

_____

_____

_____

_____

_____

Tarefa 2: abra agora a sua boca e comece a gerar vida! Em seu perfil da rede social, faça um _post_ em seu _feed_ falando sobre a causa. Firme um compromisso com você mesmo de não se calar mais diante das situações.

_____

_____

_____

_____

_____

_____

Sua luta é trazer luz para o mundo e começar a transmitir vida.

CAPÍTULO 02

O COMEÇO DE UM NEGÓCIO DIGITAL

A maioria das pessoas ouve, acha impressionante, mas não faz nada com as informações que recebe sobre o mercado digital. Esse é um negócio tão sério que, quando destravou na minha cabeça, mudou completamente os meus resultados. Você se decepcionará, mas vou te contar que minha primeira "aparição" com *infoproduto* foi no final de 2018 e, em menos de dois anos, minha realidade foi transformada. *Infoproduto* tem este nome por estar no digital e ser um produto de informação.

Lancei o projeto *O Pior Ano da Sua Vida* apenas com um assistente, sem saber nada de tráfego, e havia algumas aulas com qualidade ruim dos vídeos, até mesmo "viradas de cabeça para baixo". Ainda assim, fiz R$ 43 mil reais nesse lançamento. Vou contar aqui com mais detalhes. Tivemos um salto de 43 mil para sete dígitos, em um mesmo produto, em poucas semanas.

Naquele primeiro lançamento, realizei um evento presencial em Goiânia e "abri o carrinho" – expressão usada quando abrem-se as vendas no digital. Essa é uma boa estratégia para quem faz lançamentos de forma presencial. Você pode usar o *on-line* e o presencial para vender juntos. Esse lançamento foi feito de forma totalmente orgânica, ou seja, não investi nada em tráfego para ter mais alcance na Internet.

Quero te passar um código: quando comecei a fazer *networking*, tinha como objetivo tirar fotos com todo mundo e lançá-los para aprender como funciona essa estratégia no digital. Lançamos pessoas sem muita autoridade no assunto, apenas para entender o mecanismo, comprar dados e obter experiência. Nesses lançamentos, fomos conquistando expertise para quebrar receitas ou métodos que prometem resultados milagrosos.

Você pode me perguntar: o que mudou de um lançamento para o outro, além do lucro? No primeiro, fiz sem saber nada; apenas abri as vendas para quem estava no evento presencial. E o que isso implica? A questão era o público ser pequeno em um espaço físico limitado. Foi somente uma tarde de evento, não preparei *script* e não trabalhei o nível de consciência da plateia. Já no evento *on-line*, feito em uma semana, investimos R$ 40 mil reais para obter um público bem maior. Fizemos um lançamento clássico: que são três vídeos de entrega de conteúdo para estabelecer conexão com a audiência e, no quarto vídeo, a venda ser realizada. É um lançamento bem comum, e a maioria de quem lê este livro agora já deve ter passado por ele. Lembro-me de que, além de produzir os vídeos, focamos no banco de dados que tínhamos com quarenta mil *leads* (potenciais consumidores), ou seja, gastamos cerca de um real por *lead*. Chamamos esta ação de "colher os frutos baixos", já que esse lançamento era o primeiro efetivamente no digital.

Não caia no perfeccionismo, pois é paralisante. Primeiramente, faça; segundo, corrija; e, em terceiro, adapte à sua realidade.

tarefa 1: para começar no digital, você precisa, primeiramente, deixar as desculpas e o perfeccionismo para trás. Liste quais são os dez impedimentos que "bloqueavam" você até ontem e crie duas tarefas para cada um deles.

IMPEDIMENTO	TAREFAS ESPECÍFICAS	DATA PARA TERMINAR	DIFICULDADE
1- Baixa visualização em meus conteúdos		/ /	
2- Poucos comentários		/ /	
3- Ignorância sobre lançamentos		/ /	
4-		/ /	
5-		/ /	
6-		/ /	
7-		/ /	
8-		/ /	
9-		/ /	
9-		/ /	
10-		/ /	

Tarefa 2: pense agora no seu negócio ou na profissão em que atua. Se ele é físico, como seria no universo *on-line*? E se é *on-line*, como seria se fosse físico? Busque novas perspectivas e escreva os códigos que você captar abaixo:

_____

_____

_____

_____

_____

_____

OS FRUTOS BAIXOS

Imagine uma macieira repleta de maçãs. Se pedirmos para uma criança de dez anos pegar um fruto, ela pegará a maçã mais baixa de todas, porque não tem altura para colher as que estão na parte mais alta. Concorda que todas as maçãs dessa macieira têm o mesmo sabor? O gosto dependerá do tempo e se estiverem maduras ou não, porém o sabor pouco muda em função da posição dos frutos na árvore. Assim, para a criança, é mais fácil pegar a maçã mais baixa, porque ela gastará menos energia.

Se você nunca vendeu para a sua audiência, seu público no *Instagram* está repleto de maçãs baixas e prontas para serem colhidas. Existe uma demanda reprimida, e as pessoas estão esperando por algo a ser lançado para poderem comprar. Por isso, os primeiros lançamentos costumam dar resultados extraordinários, mas, ao longo do tempo, esses resultados podem cair, caso você não repense a sua estratégia.

Após alguns lançamentos, só haverá fruto alto para pegar. Então, para a criança conseguir buscar o fruto mais alto, ela precisará de uma escada, e isso representa um gasto de energia gigantesco.

COMO FAZER PARA TER FRUTOS BAIXOS?

Para gastar menos energia, você precisa plantar sempre novas árvores. Com essas novas árvores, terá novos frutos baixos, ou seja, conseguirá fazer novos lançamentos sempre com o *lead* e o **CAC** (Custo de Aquisição de Clientes) mais baratos, gerando um ROI (*Return Over Investiment*) positivo. Essa é a forma de conseguir bons retornos em seu lançamento. A estratégia é plantar sempre novas árvores!

Contudo, como fazer isso? Como colocá-las na terra? Este não é um assunto novo. Plantar novas sementes é gerar novos conteúdos, novos posts, conectar-se a novas pessoas, fazendo um vídeo novo todos os dias, publicá-los e usar tráfego pago para impulsionar suas publicações. Nós não fazemos tráfego pago somente para vender, fazemos para distribuir novos conteúdos. Investimos um bom dinheiro com isso todos os meses, e a maioria das pessoas que assistir ao vídeo de conteúdo, sem pedir nada em troca, se tornará um novo seguidor no Instagram, no YouTube e em todas as suas redes sociais.

Essas novas pessoas serão alimentadas e se tornarão novos frutos. Por isso, cada conteúdo postado, cada *story* e cada nova ação nas redes sociais são sementes que, em breve, se transformarão em frutos. Assim, as novas pessoas que estão sendo atraídas, de maneira orgânica ou com distribuição paga, darão novos frutos nesta árvore. Você conseguirá colher sempre.

É muito simples e básico, porém as pessoas não pensam nisso. Elas dizem que não conseguem passar do lançamento de 500 mil ou um milhão de reais. Lógico, elas não têm novos frutos para colher, se mantêm na mesma árvore ou não sabem fazer uma plantação de qualidade. Então, gastarão mais energia e mais dinheiro, sendo que o lucro será cada vez menor, porque só terão os frutos altos.

É uma situação muito simples, mas, se você não se atentar, pode limitar o seu crescimento.

Voltando aos primeiros lançamentos, você ainda deve estar se perguntando qual foi a diferença entre o primeiro e os demais, certo? Meu perfil no *Instagram* cresceu absurdamente, ou seja, novas árvores foram plantadas, passamos para um nível de consciência gigantesco e totalmente diferente. O diferencial refere-se às *lives* às 4h:59min. da manhã. Nos vídeos 1, 2 e 3 da jornada, houve um aumento do nível de consciência da audiência. Assim, minhas *lives* no *Instagram* saíram de 300 pessoas e subiram para mais de 5 mil pessoas ao vivo, disparando ainda mais. Então, começamos o movimento do *Pior Ano da Sua Vida* e fizemos muitas *lives*, com novas pessoas, e usei também todas as que estavam nos grupos de *WhatsApp*. Eu nunca havia utilizado essa técnica para chamar para as *lives* e, assim, conseguimos ter uma energia muito grande naquela lançamento.

Tarefa: você tem algum fruto baixo pronto para ser colhido? Se não, escreva quais serão as sementes que você plantará para colher novos frutos.

NETWORKING

Fazer *networking* é construir uma rede de relacionamentos. É uma engrenagem que traz resultados assustadores. Você sabia que

85% dos seus resultados dependem das pessoas com quem você se conecta? Acredite, tudo o que você procura está dentro de alguém com quem ainda não se conectou. Uma das coisas que mais fazem as pessoas destravarem e explodirem na vida são as conexões.

Desde pequenas, as pessoas desenvolvem o hábito de se agrupar, mas, se você gastar energia com os mesmos grupos, não multiplicará seu *network*. Para avançar, você terá de fazer novas conexões e renunciar pessoas e situações que antes pareciam ser fundamentais na sua vida. Vou te contar um segredo: atualmente, grande parte dos meus amigos refere-se a pessoas com quem queria me conectar, mas ainda não as conhecia. Para isso, usei o que costumo chamar de "pontes". Elas me conectam àquelas pessoas com quem eu ainda não consegui me relacionar. Você precisa perder a vergonha e se preparar para fazer as perguntas certas, a sua alma tem que desejar isso. Sabe o que é mais importante no mundo? São as pessoas, as obras-primas da criação. Não explodir no *networking* é como pegar uma luz e escondê-la em uma caverna, ela pode ser muito forte e, ainda assim, não iluminará de maneira nenhuma o lado de fora.

A primeira dica para destravar o seu *networking* é gerar valor para a pessoa que você deseja se conectar. Não é apenas convidá-la para fazer uma *live*; você pode investir nisso antes, dando um presente para ela. Salomão sugere com sabedoria: "Quando chegar diante do rei, leve um presente". Vou exemplificar: um empresário de uma família tradicional de Goiás, na intenção de chegar a mim e sabendo que eu gosto de pescar, me deu um gerador de energia de pescaria. Ele foi aluno 7D e pegou esse código que entreguei para os participantes durante a mentoria. Depois de conseguir se conectar comigo, esse grande empresário me ofereceu 20% de sua empresa que fatura milhões. Ele tinha acabado de "usar uma chave que aprendeu comigo, e eu caí", reservou um helicóptero para me buscar e, como tomou essa atitude, coloquei ainda mais fé no que me apresentou. Após analisar a proposta, vi que era *top*, senti paz e fechei o negócio. Por que fiz isso? Pelo *networking*. Aqui vai um código: sempre gere valor antes de qualquer negociação!

A segunda dica é: seja interessante e intencional. Ser interessante não é mostrar todas as suas habilidades. Se começar a falar dos "seus dotes" ficará chato, e todos te acharão insuportável e soberbo. No ambiente em que observo pessoas querendo aprender sobre o mundo jurídico, eu sou jurista; onde as pessoas querem aprender sobre promoção de vendas, eu sou promotor. Eu descubro com perguntas o que elas mais gostam, procuro informações valiosas em minha biblioteca, entrego tudo o que precisam ouvir e nos conectamos. Minha equipe gosta de brincar comigo dizendo: "O Pablo já fez tudo, ele dá conta de fazer". E por que eu dou conta? Anota o segredo: as pessoas que querem comprar seu produto querem saber **como**, mas não sabem que, na verdade, estão a procura do **quem**. *Quem* tem o *como* que ela procura.

A chave está em quem resolve o problema de uma pessoa e não em como ela consegue resolver. Vou explicar: quando alguém quer comprar um produto na Internet, essa pessoa não pergunta quem pode ajudá-la, ela quer saber como resolver a questão. Se você é "o quem" "do como" que ela procura, conseguirá vender seu produto, pois a solução está em suas mãos. Para potencializar essa ferramenta, é importante se conectar com outras pessoas que também resolvem problemas.

Então, a questão é gerar valor interessante e intencionalmente. Como gerar valor? O segredo está em descobrir, potencializar e expor o seu valor.

É um tripé, não existe relevância sem exposição de valor!

Anote este código: valor vem antes de preço, eu sempre faço muitas coisas de forma gratuita para instalar reciprocidade e valor nas pessoas. Todas as vezes que as pessoas colocarem preço no que você está fazendo, você não gerou valor para elas. Você tem que testar e validar seu valor e nunca se expor como um produto. Você é imagem e semelhança do Criador. Portanto, ande por princípios para gerar valor de forma absurda e lute por isso.

Para expor seu valor, você precisa de resultados. Um gênio sem resultados é como um maluco, mas uma pessoa comum que dá resultados é vista como um gênio. No momento em que pensar que seu preço está alto e a concorrência "cobra" mais barato, você estará jogando o jogo do lucro. Não faça isso, o jogo é de fazer *branding*, ou seja, criar uma marca, um movimento e uma tendência. Quem tem valor alto coloca o preço que quiser, pois este sempre será mínimo se comparado aos resultados que gerará.

Tarefa 1: liste abaixo cinco pessoas que possui relação com o seu propósito e que você tem o desejo de se conectar. Comece ainda hoje!

1. _____
2. _____
3. _____
4. _____
5. _____

Tarefa 2: crie uma tarefa para se conectar com as pessoas acima, gerando valor para elas. Faça isso entendendo o que cada uma gosta e precisa. A tarefa pode ser dar um presente, convidar para jantar ou fazer algo surpreendente (gere, pelo menos, um assunto do interesse delas).

1. _____

2. _____

3. _____

4. _____

5. _____

Tarefa 3: faça uma reserva para investir em networking todos os meses. Qual é o valor que você disponibilizará a partir de hoje? Eu comecei com cem reais e, atualmente, invisto 100 mil reais por mês.

R$ _____

SE NECESSÁRIO, MUDE A ROTA

Nunca seja gestor de uma única questão. Quando você trabalha com apenas uma rota, seu navio certamente afundará. Caso haja um *iceberg* em seu caminho, não adianta insistir na rota que escolheu.

No helicóptero, peguei códigos poderosos: notei que toda vez que se aproxima de uma montanha, ele treme um pouco. Como eu nunca havia tido essa experiência, o piloto – que era instrutor havia 30 anos – me perguntou se eu já havia conduzido um barco. Respondi que sim. Então, ele me explicou o seguinte: "As ondas nas águas são produzidas pelo vento, no ar acontece a mesma coisa, mas você não enxerga. No momento em que o helicóptero chegar perto de um monte, você sentirá uma onda no ar. Por isso, não se apavore! É semelhante ao que ocorre na água. Você não está vendo a onda, mas irá senti-la". Assim são as pessoas, elas são guiadas por sensações e movimentos. O movimento é dado pelo vento que começa a soprar para uma direção e, quando esta modifica, não adianta insistir. Por exemplo, para velejar, você precisará armar as velas. É parecido com isso no momento de pousar o helicóptero, a biruta indica a direção para onde você necessita girar o equipamento e pousar. Caso contrário, você "forçará a barra". Preste atenção para mudar a rota quando perceber que o vento virou, esse é o segredo para conseguir fazer as coisas funcionarem em tudo o que colocamos as mãos.

Eu nunca quebrei uma empresa! Queria ter uma história bonita sobre isso para contar, mas não tenho. Já vendi duas e doei outras duas, mas nunca quebrei nenhuma. Sabe o porquê disso? É simples, o vento mudou e eu não insisti. Caso insista, você cairá como uma aeronave que entrou em *estol* e não está mais voando, pois perdeu a propulsão e aerodinâmica. Qual é o sentimento em um lançamento? Ser intencional, sincero e verdadeiro. Isso que fará com que as pessoas confiem em você.

As coisas que me fizeram alavancar no *networking* não estavam baseadas em técnicas de lançamento, porque técnica se inventa, se modifica e pode ser jogada no lixo. Eu realmente não me importo com isso. Você tem que sentir, ter *feeling* no que está fazendo, tem que amar pessoas a ponto de ter sensibilidade para observar o que estão buscando, pelos comentários que fazem. Quando percebe que elas estão no movimento, mas não querem seu produto, você precisa mudar a direção, pois tem algo de errado no que está produzindo.

Por que você vai investir em *networking*? Porque você pode ser a melhor pessoa de conteúdo, mas, se não tiver um bom relacionamento, já era! Então, como fazer? No começo, vá atrás das pessoas e gere valor para elas. Feito isso, elas virão até você.

Você quer saber como fiquei amigo da filha de um dos maiores nomes da televisão brasileira? Eu estava sentado conversando com um amigo e ele falou que a bola dela havia caído. Eu fui lá, peguei e fiz amizade. Como fiz isso? Escolhi morar em um lugar que exige alto investimento, mas as conexões que consegui com a referência do local "fez o negócio ficar bom". As conexões fazem a diferença! Então, invista em *networking*, pague o jantar para alguém de relevância, por exemplo. Eu comecei assim, com cem, mil, dez mil... até chegar a cem mil reais por mês.

Tenho como objetivo ainda investir um milhão de reais por mês com *networking*, porque muitos resultados que ainda não conheço estão nesta conexão. Uma média de 600 pessoas pedem para fazer *live* comigo, pessoas relevantes, mas não faço, porque já não estou a fim disso. É muita pressão, todo mundo em volta é artista global, mas eu não sinto vontade. Pessoas descobrem que eu vou viajar e tentam comprar passagem para se encontrarem comigo no avião. *Networking* é para servir pessoas, e não apenas tirar alguma coisa de alguém. Relacionamento vem antes de negócio. Se fizer o contrário, você não terá sucesso.

Você foi ensinado que servir é limpar chão, mas servidor não significa isso. Quem serve mais? A pessoa que limpa o chão ou quem emprega várias famílias? O importante é quem transborda mais, esse é o segredo da servidão. Contudo, lhe ensinaram errado, principalmente na religião. Os religiosos usam a passagem bíblica para colocar você como escravo, sendo que, na verdade, você é um servidor de uma rede chamada Reino dos Céus, onde maior é o que serve. Por isso, Salomão soltou o código: quando você chegar diante de um rei, leve um presente.

GATILHOS EMOCIONAIS

Gatilhos emocionais são instintos cerebrais que mostram a reação de uma pessoa diante de uma situação. Quando você consegue contorná-los, as pessoas sempre falarão sim para você. Os gatilhos fazem a diferença em todos os negócios. Os gatilhos que mais utilizo são:

1- **Autoridade:** por que eu dei quase três mil palestraras gratuitas? Para gerar autoridade. Meus melhores conselheiros me sugeriram parar com tantos treinamentos, mas continuei porque queria ser o melhor "cara" fazendo isso. Eu pegava um projeto e, enquanto estava na minha sala trabalhando, assistia sete palestras por dia, e meu alvo era dar a mesma quantidade. Eu modelei tudo o que você possa imaginar sobre palestrar. Pegava os de todos e anotava. Fui moldando e fiz quase três mil palestras gratuitas; foi aí que tudo começou a mudar. Você não precisa trabalhar em uma empresa para isso. Em cada palestra, inventava um termo, um código, criando os meus próprios conceitos. Tanto que dizem "código", e a primeira coisa que vem à cabeça é Pablo Marçal. Comecei a criar nomes que outras pessoas podem até usar, mas se lembrarão de mim. O segredo está em fazer, repetir e modificar. Lembre-se de que há um processo de construção da autoridade.

Se você for trabalhar em alguma empresa e não tiver autoridade, será "atropelado". Como estagiário, vi advogados com nível de autoridade superior a de juízes, com histórias, poder de persuasão e gatilhos emocionais "pesados". Essas pessoas colocavam alguns juízes "no bolso". Não é a autoridade delegada pelo estado que faz o maioral, mas a autoridade pessoal construída. O jeito de olhar, falar e a postura fazem parte da presença de comando, e todos que não são líderes reconhecem rapidamente uma voz de autoridade. A pessoa olha e diz: "Meu Deus, tem alguém no comando!".

2- **Escassez:** há duas formas de gerar escassez. A primeira faz o acionamento na mente da pessoa, dizendo que aquilo que você está oferecendo acabará. Essa é a escassez positiva. A segunda é a escassez negativa, que é quando a pessoa se controla por medo de investir. Essa é a escassez que paralisa. Pessoas ficaram impressionadas, porque investimos em tempos de pandemia, mesmo depois de grandes lançadores no Brasil dizerem: "Nós não vamos investir em tráfego, as vendas vão parar". Fui procurar a lógica e comecei a expor que crises existem desde o Éden e que, nos últimos vinte anos, essa é a quadragésima quinta. Fizemos livros, um atrás do outro, no auge de uma crise, juntamente ao nosso maior lançamento de *infoproduto*. Então, não faz sentido você parar por causa disso, porque, de fato, a crise é o dinheiro trocando de mãos.

A maioria das pessoas usa o gatilho da escassez tanto no positivo quanto no negativo. O negativo te impede de fazer um investimento, enquanto o positivo faz a pessoa se movimentar para "não ficar fora de algo bom". Em vez de vender um imóvel barato, escreva na porta desse imóvel: "Muitos querem morar aqui, porém não é para todos. É para pessoas como você!".

3- Simpatia: sorrir com os olhos é uma das melhores maneiras de demonstrar simpatia. Quando as pessoas se sentem amadas apenas com o olhar e abraçadas somente com a sua energia, você mostra que é carismático. As crianças se aproximam voluntariamente; e os idosos gostam de conversar com você. Isso é ter simpatia. Ser carismático não é ser bobo. Jesus "tocava o terror" no fariseu e dizia para deixar que as crianças fossem a Ele. Quando via um pecador, dizia: "Deixa vir o pecador". Então, todos se aproximam daquele que tem presença de comando, desde a criança, o doente, o pecador e até o leproso.

4- Aprovação social: aprovação social e prova social são duas coisas distintas. Ter pessoas aprovando seus valores fará sua influência expandir em todos os lugares. Exemplo disso é ter mais de cem mil pessoas assistindo uma *live* sua. Pessoas que nem te conhecem vão querer entrar nessa *live*, pois é um número incontestável e bem poucos atingiram esse marco. Já a prova social é ver que pessoas fizeram o *Método IP*, por exemplo, experimentaram a transformação em suas vidas e relataram isso para outras pessoas, convencendo-as a fazer o *Método* também. Quando a modificação de vida acontece, você atrai muito mais pessoas. Isso é chocante!

5- Compromisso e coerência: definitivamente, pare de fazer promessas fantasiosas, pois isso te descredencia quando percebido pelas pessoas. Usar recursos apenas para convencê-las sabendo que você não cumprirá com os compromissos feitos pode até funcionar num primeiro momento. No entanto, é como jogar todo o seu trabalho no lixo, visto que não produzirá a transformação prometida. Ter coerência e compromisso é entregar o que você promete. Cuidado com promessas mirabolantes!

6- Reciprocidade: algo que você faz por uma pessoa que a deixará eternamente em débito com você. Além disso, ela pode retribuir com a mesma coisa, porém não esquecerá de que você fez primeiro. "Se a pessoa se sentir amada com uma cortesia que você fez, já era!" Pagar um jantar de forma voluntária é uma boa sugestão, pois ela sentirá que não conseguirá retribuir, mesmo que te pague dez jantares.

Tarefa 1: liste cinco pessoas com presença de comando para você modelar e começar a transmitir autoridade.

1. _____
2. _____
3. _____
4. _____
5. _____

Tarefa 2: no que você tem deixado de investir, porque tem mentalidade escassa? Aponte três investimentos que fará para si e para outras pessoas nos próximos 30 dias para instalar novos *drives* mentais.

Para você:

1. _____
2. _____
3. _____

Para outras pessoas:

1. _____
2. _____
3. _____

Tarefa 3: aprenda a sorrir. A tarefa é sorrir para todas as pessoas que passarem por você durante o dia. Comente aqui que reações você gerou nessas pessoas.

_____

_____

_____

_____

_____

_____

_____

Tarefa 4: pare de prometer o que você não pode cumprir. Diga a verdade e tome a decisão de fazer tudo o que falar. Faça uma lista com cinco situações em sua vida que você começará a ter compromisso e coerência a partir de hoje.

1. _____
2. _____
3. _____
4. _____
5. _____

Tarefa 5: gere reciprocidade presenteando alguém com algo inesperado. Faça isso nesta semana e comente a experiência aqui.

_____

_____

_____

_____

_____

_____

_____

VÁ ATRÁS DAS PESSOAS E GERE VALOR PARA ELAS. DEPOIS, ELAS IRÃO VIR ATÉ VOCÊ.

CAPÍTULO 03

PRESENÇA DIGITAL

Há uma pesquisa interessante conhecida como Efeito Dunning-Kruger sobre uma questão cognitiva: quanto menos experiência sobre o negócio que realizará, mais a pessoa se sente confiante. No entanto, quanto mais se conhece, menos confiante ela se enxerga, pois prevê as dificuldades e sabe que não é tão simples como parece. Ainda que você não tenha total conhecimento a respeito de determinado assunto, movimente-se. Primeiro, comece; depois, corrija e adapte à realidade que vive.

Um dos meus sócios aprendeu o digital há pouco tempo, apenas dedicando energia. Não digo isso para desvalorizá-lo, mas para mostrar que é possível você fazer também. Atualmente, ele é um dos líderes de lançamento da PLX, "estrategista cabuloso" que mudou a minha realidade. Eu fazia palestras e eventos presenciais em diversos lugares com uma captação muito pequena, comparando com a que faço hoje. Ele me mostrou que, com a presença digital, as estratégias que vinha utilizando não faziam sentido.

Mas o que é **PRESENÇA DIGITAL?** É o modo como você se posiciona na Internet, gera valor e se relaciona com o seu público. Atualmente, é impossível fazer negócios sem ter uma boa presença digital. **"Quem não está *on-line* não existe, portanto, não vende."** Na época, eu fazia quinze palestras em uma semana e dormia muito pouco, quando recebi uma mensagem desse meu sócio, às seis horas da manhã, dizendo: "Não faz sentido!". Ele já estava me falando isso há muito tempo: "Não faz sentido tantas palestras. Não faz sentido gerar tanto valor em uma sala para oitenta pessoas, e nem sequer gravar o conteúdo. É como pegar uma carreta de alimentos – que alimentaria um milhão – e entregar para poucas pessoas." Ainda disse mais: "Você está destruindo seu *Instagram* postando *banner* o dia todo, dizendo onde estará. Os paulistas não querem saber dia e hora em que você estará em Goiânia, ninguém quer saber". Aquela mensagem me convenceu a parar de palestrar e de fazer propagandas desse estilo pelo *Instagram*.

Parei de fazer palestras e lancei um desafio de três dias para organizarmos o maior evento da história. Nesse evento, conseguimos bater nosso recorde de pessoas *on-line*. Nunca tinha acontecido coisa semelhante: doze mil pessoas assistindo. Conseguimos, de forma orgânica, sem gastar um real em tráfego, colocar doze mil pessoas no *YouTube* para me assistir. Somente nesse dia, vendemos o *Método IP* mais do que venderíamos nas quinze palestras. Saímos de um número de quatrocentas para duas mil pessoas.

Outro exemplo: antes de fazer o primeiro lançamento de uma das maiores *Social Media* do Brasil, *expert* de nossa equipe, ela tinha apenas mil e quinhentos seguidores. Vamos direto ao ponto: você pode começar quando, onde e como quiser! É só sair do lugar, ter atitude e fazer a coisa acontecer. Isso foi em novembro de 2019, e, em pouco menos de um ano, ela conquistou mais de cem mil seguidores.

Vou ensinar duas formas para atrair clientes: conteúdo de impacto e conteúdo de coparticipação. É indicado você se unir a alguém que tenha autoridade ou fazer conteúdo que será compartilhado. Essa expert gerou um conteúdo de coparticipação em uma palestra com 300 pessoas, eu transferi autoridade para ela e, em questão de minutos, no *Telegram* que ela tinha acabado de criar enquanto falava, mais de 25 pessoas entraram em seu grupo. Foi a maior sacada do lançamento dela: unir conteúdo de coparticipação e de impacto, principalmente aqueles que são virais. No entanto, as pessoas, em vez de focarem em relacionamento, entram em assuntos técnicos de aprendizado, não sendo ainda o momento para esse tipo de conteúdo. Quando as pessoas estão começando a te conhecer, o nível de consciência delas tende a ser muito baixo. Por isso, pessoas com um milhão de seguidores têm, no máximo, duzentos comentários em uma foto que poderia ter, no mínimo, dois mil comentários. O momento de conversão é quando conseguimos aumentar o nível de consciência de nossos seguidores.

Presença digital não vem apenas do conteúdo de coparticipação, pois de nada adianta fazer conteúdo comigo, tendo em seu *Instagram* apenas fotos comuns, de viagem, da família, sem ter o que os seguidores possam consumir. Você não deve utilizar estratégias de conteúdo de impacto e de coparticipação antes de montar o seu "jardim", o seu *Instagram*, e é o que fazemos.

Existem pessoas inconsistentes na produção de conteúdo. E, na coparticipação, não adianta pedir que os outros façam isso por você. Se não está transbordando em sua página, a pessoa que escolheu não aceitará o seu convite. Não deve ser uma via de mão única. Você precisa gerar e agregar muito valor para a audiência dela também. Antes de tudo, "construa o seu jardim, senão as borboletas chegarão e você não terá nada para oferecer a elas".

Tarefa 1: sempre comece "construindo o jardim", gerando valor nas redes sociais. Você é constante em produzir conteúdo através do *Instagram*? Se não, faça um desafio de postar por sete dias consecutivos. Descreva como você se sentiu e registre abaixo a sua evolução.

DIA 01	
DIA 02	
DIA 03	
DIA 04	
DIA 05	
DIA 06	
DIA 07	

Tarefa 2: marque três *lives* com pessoas mais relevantes que você no digital ou que estão gerando conteúdos de valor. Lembre-se de fazer isso depois que "seu jardim" já estiver construído. Liste abaixo as três pessoas e as datas das *lives*.

1. _____

2. _____

3. _____

CONTEÚDO DE RELACIONAMENTO

Quero destacar três grupos de pessoas que acessam as redes sociais com níveis de consciência diferentes: o primeiro é formado por quem tem uma dor, tem consciência de que ela existe e está buscando resolvê-la; o segundo refere-se às pessoas que sabem que têm um problema, porém ainda não estão procurando a cura; e o terceiro – e o maior deles – refere-se às pessoas que não sabem que têm um mal e, consequentemente, não estão em busca de solução.

Você precisa criar uma estratégia de relacionamento por meio do conteúdo. No primeiro lançamento da *Social Media* que mencionei, ela falou sobre geração de conteúdo. No segundo, acreditava que as pessoas ainda estariam interessadas em se posicionar nas redes sociais, porém notou que elas tinham uma dor mais profunda. Para fazer um lançamento com resultados surpreendentes, o principal efeito que nosso produto deveria causar ao *lead* era **fazer dinheiro!** Por isso, foi entregue um método com o qual as pessoas façam dinheiro e tratem a dor que possuem. Mudou o caminho e o posicionamento, e um movimento foi criado onde as pessoas que cumpriam as tarefas conquistavam o primeiro cliente. Essa foi a estratégia matadora, pois elas precisavam pegar todo o conteúdo gratuito, que representava 70% do caminho, mas, para ser **o maior *social media* de todos os tempos**, esse *lead* precisaria do curso.

O conteúdo de relacionamento é o que faz seu *lead* concluir que o apresentado foi feito para ele

Tarefa 1: faça uma sequência de *stories,* perguntando a maior "dor" dos seus seguidores. Use as linhas abaixo para planejar um *post* e ajudá-los a resolver o problema.

Principal problema dos meus seguidores:

_____

_____

_____

_____

_____

_____

Como vou ajudá-los a "curar essa dor"?

_____

_____

_____

_____

_____

_____

Tarefa 2: chega de desculpas! Faça uma lista com as cinco maiores objeções que as pessoas têm para não comprarem seu produto ou para não consumirem seus conteúdos. Para cada desculpa, coloque uma resposta "quebrando" as objeções e fechando a venda.

1. _____

2. _____

3. _____

4. _____

5. _____

Estratégias para aumento do nível de consciência e quebra de objeção

A maioria das pessoas está no terceiro grupo de nível de consciência. Elas não têm ideia de que carregam uma dor, e é sua responsabilidade trazê-las à realidade. Para ativar a consciência dos seguidores, você precisa abordar assuntos que despertam a pessoa para o problema e, em seguida, mostrar a solução com a **quebra de objeção.**

Uma estratégia que deu muito resultado foi a quebra de objeção, quando as pessoas falavam que não conseguiam clientes e não sabiam como fariam para pagar a mentoria. O aluno até pode pagar com o próprio dinheiro, mas o correto é que ele pague com o que receberá dos clientes que conquistar durante o desafio. Para as pessoas que continuaram contestando que não tinham dinheiro e clientes, aplicamos a "repescagem". Colocamos uma equipe ensinando-as a conquistar clientes ao vivo no *YouTube*. Os participantes conquistaram os clientes e não houve mais objeção.

TRÊS NÍVEIS DE "QUERER"

A transformação não está no conteúdo. Este é apenas 5% da transformação. Você pode entregá-lo ao seu cliente e, ainda assim, ele continuará desmotivado, sem acreditar e sem autoconfiança. Isso impedirá que a grande transformação aconteça.

Existem três níveis de "querer se transformar" e é você quem precisa mostrar para a pessoa. Existe muita gente que pensa querer, mas simplesmente não quer.

Primeiro nível de querer – *"Eu quero me transformar, todo mundo quer."* Se perguntar a qualquer pessoa na Terra se ela deseja ficar rica, ela responderá que sim. Contudo, não faz nada para conquistar riqueza, não se mexe e não age.

Segundo nível de querer – *"Eu sentado e quero me levantar da cadeira. No entanto, logo que aparecer o primeiro gigante na minha frente, eu viro as costas, corro de volta e me sento novamente."* Essa pessoa não quer de verdade, ela pensa querer, mas não está disposta a encarar as dificuldades que virão. Diante do primeiro obstáculo, ela desiste e ainda se faz de vítima dizendo que o método não deu certo. **Quem tenta não consegue!**

Terceiro nível de querer – A pessoa se levanta da cadeira e "vai chutando todo gigante que aparece na frente", olha para trás e, existindo com ela um exército, ela vai. E se não houver, ela irá assim mesmo. Se houver um exército contra, dez vezes maiores, ela também irá, pois dá a vida pelo negócio. Não existe opção de dar errado. Nesse terceiro nível de querer, sempre digo que é como se a pessoa assinasse um contrato de cláusula única com um grupo de extermínio: "se em doze meses, eu não ganhar um milhão de reais, pode me exterminar". Ela não tem opção e está ameaçada de morte. Isso gera pressão para que dê certo. O verdadeiro querer é: **não existe opção de não dar certo, vai dar certo!**

Tarefa 1: você quer ou só está "tentando"? Descubra qual é o seu nível de comprometimento quando se trata dos seus objetivos.

Selecione abaixo a opção que mais se aproxima da sua realidade.

1. Seus sonhos já viraram metas? Ou seja, eles têm data para acontecer?

Sim, todos sonhos têm datas.	5
Alguns sim, outros não.	3
Não, ainda não pensei sobre isso.	1

2. Você deseja ser uma potência no digital. E o que está fazendo para alcançar isso?

Eu estou "transbordando" tudo o que sei. Faço as oportunidades correrem atrás de mim.	5
Às vezes posto, outras não. Quando posto, falo sobre o que aprendi.	3
Não estudo faz tempo, mas, em algum momento, meu sonho acontecerá.	1

3. Você nunca faz tarefas ou só faz se alguém te cobra?

Pratico tudo o que eu aprendo e nunca paro de aplicar.	5
Faço algumas tarefas, mas normalmente não coloco prazo, "perco a vontade" e desisto.	3
Nunca faço tarefa, pulo sempre para fazer depois.	1

Agora, some os resultados e coloque o valor total aqui:

_____

Soma < 7 = Ruim (está no nível 1 do querer)

Soma 7 a 11 = Mediano (está caminhando para o nível 2)

Soma > 11 = Muito bom (você está no nível 3 do querer)

Tarefa 2: qual é a conclusão que você chega ao ver essas respostas? Você está muito ou pouco comprometido? Coloque abaixo a **decisão que vai tomar** depois disso.

TRANSFORMAÇÃO X ESTADO DE SOBREVIVÊNCIA

Para cada pessoa que você converte, dez novos frutos podem ser gerados, porém pouco adianta ela entrar na mentoria se não for transformada. O conteúdo de transformação é que vai ensiná-la de verdade, pois as pessoas precisam de ativação, **necessitam acreditar que funcionará.** É fácil gerar vontade de comprar, mas, depois que a compra acontece, por uma reação química do cérebro, ela perde a vontade, descansa e para de buscar a transformação. Após a venda, muita energia ainda deve ser gasta com isso. É preciso insistir para que ela continue.

Pessoas que já possuem autocontrole não precisam ser ativadas, elas já estão em busca de novos resultados. Contudo, com as que não têm autogoverno, é necessário utilizar a técnica da persuasão para entrarem em um estado de sobrevivência.

Imagine alguém acordar e estar pendurado por uma corda em uma ponte. Ativar o estado de sobrevivência é fazer a pessoa pensar o seguinte: "Estou pendurado nessa corda e quero sobreviver. Se cair, eu morro, e não tenho técnica para subir em corda. Então, o que farei? Vou dar um jeito, utilizarei todas as forças do meu braço". Quando se está em estado de sobrevivência, a pessoa não tira o foco da situação. Ela pode visualizar uma multidão em cima da ponte "colocando pressão", mas quem está em estado de sobrevivência se mantém no hiperfoco para fazer a coisa acontecer.

Há pessoas que não precisam chegar a esse estado, mas 98% somente darão resultados se o modo de sobrevivência delas for ativado e, consequentemente, irão gerar filhotes que se transformarão em novos resultados para você.

Tarefa: qual é a área da sua vida em que você começará a "colocar pressão" a partir de hoje? Trace uma meta ousada para essa área e faça um compromisso público por meio de uma postagem no seu *Instagram* para não voltar mais atrás!

Pessoas que já possuem autocontrole não precisam ser ativadas. Elas já estão em busca de novos resultados.

CAPÍTULO 04

DISTRIBUIÇÃO DE CONTEÚDO

O foco da distribuição de conteúdo não é só entregar para o seu público, mas atrair mais gente. Seus *stories* têm que ser com *lifestyle* (seu estilo de vida) e ter conteúdo pesado para as pessoas quererem assistir. Além disso, você tem que interagir pelo *direct*. Vale lembrar que não adianta fazer lançamento seguido de lançamento, isso não oxigena o pessoal.

Certa vez, eu soube de um homem que ganhava cerca de seis mil reais por mês cortando cana, o equivalente a quinze mil hoje. Para trabalhar muito e ir embora mais rápido, fazia dois turnos, porém ele trabalhou tão pesado que morreu. O cavalo pode ser forte, mas há um limite de quilometragem por dia. Um cavalo – que é uma máquina de força – tem limites, logo, se você ficar forçando conteúdo nas pessoas, não alcançará o seu objetivo. Então, pegando essa lógica, você precisa oxigenar. Eu distribuo conteúdo fazendo desafio sempre de graça para gerar mais valor, trazer mais pessoas e produzir mais transformação. Exatamente por isso criei o **Clube 459.**

Vou te ensinar o que eu fiz acordando pessoas. Eu tinha uma mentoria com 83 empresários em Goiânia às cinco da manhã.

Certo dia, falei que, para quem estivesse interessado em aprender coisas novas, entregaria para os que chegassem às três da manhã. Foi uma surpresa maluca: 83 empresários dentro do meu auditório, e eles não tinham obrigação de estar lá. Esse fato mexeu comigo. Prometi que faria as pessoas acordarem antes das cinco horas da manhã. A questão é fazer um acordo e tirar a pessoa da zona do conforto, o que já dá o mínimo de resultado. Ela mudará a mente, a disposição e, portanto, já mudou o horário. Você está fazendo ela se movimentar.

Tarefa: liste cinco coisas que você fará para sair da zona de conforto. Coloque datas.

DATAS

1. _____

2. _____

3. _____

4. _____

5. _____

ENTROPIA

O que é entropia e como funciona? Entropia é como pegar um gelo, colocá-lo em um copo e transformar em água. Existe uma força, uma energia poderosa, o poder de pegar o que está frio e mudar o estado da substância. No exato momento em que múltiplas transformações são geradas, as pessoas começam a ver e falar: "Isso funciona"; e você não fica tentando vender. Elas amam comprar, mas odeiam perceber que você está vendendo. Você não pode deixar a pessoa perceber isso. Ou você é um *expert* ou um lançador. Existe um diferencial muito grande.

Pessoas que desejam vencer começam a pagar o preço que for necessário. Por isso, faço em horários que são os mais difíceis para todo mundo, e o diferencial que uso é "conteúdo novo." Essa é a chave, acordo todo dia sem contar o que vou falar. Faço isso como estratégia, em 99% dos casos, todo mundo acorda sem saber o que eu vou falar. O fator surpresa é muito bom, mas tem que haver transformação todos os dias, diariamente precisa ter uma tarefa. Isso vai garantir o microrresultado.

Lembra que dado sem ação é dado de jogo Banco Imobiliário. Como investir nessa *pegada* para montar seu lançamento?

Tarefa: descreva a principal transformação que as pessoas terão por meio do seu conteúdo. A partir de hoje, elabore uma tarefa para cada publicação que você fizer.

Dica: volte ao capítulo que aborda "Gatilhos Mentais".

SABER USAR OS DADOS
(*BUSINESS INTELLIGENCE* – BI)

A era digital é o novo petróleo. Contudo, você precisa dominar as estratégias. Entender as informações é como interpretar a Bíblia, ela é riquíssima, mas, na mão de quem não entende, vira apenas um instrumento religioso. Você pode abrir o salmo 91, mas a página aberta não tem poder algum, é preciso ler e praticar.

Já fizemos dois lançamentos com o BI (*Business Intelligence*) onde se cria um bônus e mede todos os resultados da pessoa. Captamos os dados e geramos novas informações a partir deles. Antes da venda, perguntamos para os alunos dos nossos cursos: "Quanto você deve?". Isso foi muito bom, porque começamos a nortear e perceber que, mesmo devendo, a pessoa quer saber como ganhar dinheiro. Você conseguirá concluir que todos estão em busca de dinheiro. A quantidade de informações que você tiver ajudará a entender o que está fazendo e tomar as devidas decisões.

BI não é uma planilha repleta de dados. Contudo, o que faço com esses dados? Vou dar outro exemplo: estávamos fechando um grupo com valor para investir em um ramo imobiliário e descobri na mentoria *F10K* que muitas pessoas estavam com milhões em dívidas, mas existiam outras com 40 milhões de reais disponíveis para aplicar, perguntando-me se vou chamá-las para entrar em algum loteamento. Tem base?

Sou *o cara* que vende o curso, empreendedor multissetorial, que atuo no mercado imobiliário e posso usar essa base para fazer outros negócios. Devido às informações que tenho no BI, consigo disparar para mais pessoas e fazer mais negócios. Uma das piores coisas que existem refere-se às pessoas que têm acesso às informações, mas não sabem como interpretá-las. É chocante! Por exemplo, há mais de 13 mil leis no Brasil, mas não saber para que servem essas leis é terrível. A Bíblia tem cerca de 31 mil versículos e não saber como usá-los é a pior coisa que existe.

Há leis escondidas na Internet, como a do tráfego de dados, da forma que as pessoas se conectam e como elas fluem nesse ambiente digital, por exemplo.

Tarefa 1: uma das coisas mais valiosas no digital referem-se aos dados. Crie uma pesquisa (pode ser no *Google Forms*) com intuito de conhecer a sua audiência. Anote aqui quais foram os códigos que você conseguiu apurar.

Dica: *fale para a sua audiência que seu objetivo é conhecê-los melhor. Depois faça perguntas como: quem é você, o que faz e o que quer alcançar na vida.*

_____

_____

_____

_____

_____

_____

Tarefa 2: faça uma análise das respostas que você teve. Existe algo que descobriu sobre sua audiência que ainda não sabia? Responda abaixo como você pode usar esses novos dados para melhorar o seu conteúdo.

_____

_____

_____

_____

_____

_____

OS QUARTIS

O segredo está em dividir qualquer grupo em quatro, ficando cada quartil com 25%. O primeiro pelotão ocupará cargos de liderança na sua equipe, ser sócio ou abrir o próprio negócio. O segundo é o que você necessita mirar para alcançar o quartil 1. No terceiro, estão os que ficarão sempre na média, o povão, e os que descerão para o quarto grupo. O quarto pelotão é o do terror, que precisa ser demitido ou fazer subir, virar média.

Toda companhia precisa ter um ciclo normal de oxigenação. Em uma empresa com pessoas que trabalham há dez, vinte ou trinta anos, elas vão se acostumando e, com o passar do tempo, entregam menos. No primeiro ano, caso você invista muito, a pessoa entregará 90% do emocional e, se perceber que você quer que ela cresça, conseguirá entregar até mais que isso. Contudo, se ficar muito tempo estacionada, mesmo ganhando um bom salário, a entrega dela vai caindo ano após ano. Com dez anos, estará entregando 9% da capacidade emocional.

Se uma pessoa ficar três meses comigo e não aprender mais, não demonstrar crescimento, eu demito. Não tenho foco em gerar trabalhador, nasci para gerar liderança. Nenhuma empregada doméstica permanece muito tempo em minha casa, porque elas leem os meus livros, fazem as tarefas e começam a empreender.

Divido tudo em quartis: o grupo um é o das estrelas, não deve ser adulado; o grupo dois precisa de incentivo, criar certa concorrência para gerar um desespero, são os aspirantes a estrelas; e o terceiro grupo refere-se à pessoa que não será a estrela do time, pois é mediana. O grupo quatro, por sua vez, é o que precisa de pressão. Ele é o terror do qual poucos se salvam.

Liderei setenta e sete equipes na *Brasil Telecom*, durante oito anos, e nunca vi uma equipe de um quartil apenas. Demiti pessoalmente mais de oitocentas pessoas. Se você é lançador, a primeira coisa que precisa fazer é posicionar o *expert* em um dos quartis e, caso conclua que ele é do quarto grupo, está fora! Poucas pessoas do grupo mediano se salvam e migram para o grupo dos aspirantes a líderes. A maioria se manterá no terceiro grupo e, se ficar muito tempo, rebaixe-o para a quarta categoria. Os novatos devem entrar no último pelotão e ir escalando para os outros grupos, caso se desenvolvam.

Não me esforço para demitir ninguém, a pessoa começa a entender que tem que ir, isso é impactante! No último ano, demiti apenas três pessoas, porém mais de cem saíram, porque concluíram que a velocidade é muito alta, e elas não dão conta de acompanhar, ou porque montaram seus próprios negócios.

Tarefa: pense nas pessoas com que você trabalha e as distribua em quartis. Você dá a cada pessoa aquilo que ela deseja? Posicione-se, também, em um dos quartis e pense em três tarefas que você fará para sair de onde está e chegar no Grupo 1.

Grupo 1 – Estrelas Não adule	Grupo 3 – Medianos Pressão
Grupo 2 – Aspirantes a Estrelas Precisam de incentivo	Grupo 4 – Quase fora Salvam-se poucos

Agora, liste o que você fará para chegar ao primeiro quartil:

1. _____

2. _____

3. _____

Dominar as estratégias é como interpretar a Bíblia. Ela é riquíssima, mas, nas mãos de quem não entende, será apenas um instrumento religioso.

CAPÍTULO 05

CAPITALIZAÇÃO DIGITAL

O que é capitalizar? Lembro-me de que, em cada palestra, eu pedia às pessoas para comentarem sobre as minhas fotos nas redes sociais, e até hoje não parei de fazer isso. Posso afirmar que tenho um dos crescimentos orgânicos mais assustadores do *Instagram*.

Melhor que crescer é monetizar o crescimento. Tudo tem uma base, aprendi na *Brasil Telecom* e preciso contar uma breve história para te destravar. Eu fazia grandes números e batia vários resultados na empresa, mas, certo dia, minha diretora me disse: *"Você é alguém que não sabe capitalizar as coisas que faz"*. Aquilo me deixou muito revoltado, porque eu tinha bons resultados e não entendia o motivo para ela falar aquilo. Meu primeiro pensamento foi: *"Capitalizar alguma coisa do Silvo Santos? Algo no Banco?"*. Eu não sabia o que era capitalizar, mas fui atrás da informação e virei uma máquina insuportável no assunto. Isso é saber espremer uma laranja e mostrar o valor absurdo dela, não somente do suco. O código está na história por trás da laranja, quem a plantou.

E, assim, fui aprendendo e te ensinarei. Falarei sobre capitalização, mas não adianta querer somente a fórmula. A questão de lançar e fazer dinheiro não faz sentido se você não entender o que é a semente do lançamento, e qual é o *branding*.

Anote um código: para usar melhor os números, você precisará aprender sobre capitalização. Explicarei do que se trata: era responsável por uma área na *Brasil Telecom* que estava com o índice baixo de pessoas promovidas para outras áreas, e eu consegui bater o recorde. De fato, a área era bem ruim para se trabalhar. Então, disse: "Vim do Rh onde fiquei por quatro anos. Se vocês quiserem, posso ensinar todos a avançarem". Peguei um pelotão e consegui promovê-lo. O percentual era em média uma a cada quatro pessoas promovidas em menos de um ano. Coloquei faixas em meu setor que diziam: *"Aqui uma a cada quatro pessoas são promovidas!"*. Isso foi uma capitalização pesada que aumentou muito as promoções, pois as pessoas, ao verem o que estava nos cartazes, ficavam cada vez mais motivadas. Não fui contratado para promover pessoas, porém capitalizei aquele número, e isso tornou-se um diferencial na minha gestão.

O que vai lhe gerar vantagem é o seu diferencial. Se você ainda não tem, terá que criar!

Enquanto escrevo este livro, apenas cinco pessoas fizeram 8 em 1 no Brasil pela Internet. Isso significa 10 milhões de reais em um dia. Das cinco, três foram lançadas pela nossa empresa, a PLX. Temos feito coisas diferentes! Vou abrir o jogo: quem não capitaliza gastará mais energia e ficará dependendo o tempo todo. É necessário capitalizar antes, durante e depois do lançamento. Desde que aprendi isso, fiquei viciado e tudo agora é motivo de capitalização para mim.

Tarefa: anote os principais pontos da sua jornada até aqui. Coloque tudo o que for relevante, que fizer sentido para você. Agora reflita: quais são os pontos que você poderia capitalizar melhor? Faça uma tarefa para cada um desses pontos para potencializar seus resultados. Não esqueça de colocar as datas para finalizar as tarefas.

DATA

1. _____
2. _____
3. _____
4. _____
5. _____

BRANDING

Agora, falarei sobre *branding* e, possivelmente, você não entenderá nada. Isso porque um leão enjaulado que recebe comida e não sabe caçar não conhece a sua identidade. Olhe para o espelho e você verá a imagem de seu Pai refletida nele.

Assim, entenderá quem você é, e seu *branding* estará construído. Em vez disso, você acredita que constrói seu *branding* falando da sua profissão. Entenda que o olhar é para si mesmo, para o que flui através de você.

Branding é uma construção de marca que acontece quando você encontra a sua essência. Uma das coisas que as pessoas mais me perguntam é se sou assim mesmo. E sim, não perco o meu tempo interpretando, isso dá trabalho demais. Conheço pessoas que são personagens na Internet e querem abandonar o papel, mas não conseguem; sustentam isso por dinheiro. Quando você descobrir sua essência, vai "arrumar treta"; se ainda não está arrumando, é porque quer agradar a todo mundo. Você nasce e já começa a ser uma peça na engrenagem do sistema. Se aceitar ser a peça, o sistema continuará rodando e vai "ficar de boa". Contudo, se entender quem você é, dará pane na engrenagem toda.

Como se constrói o *branding* certo? Terá que testar até acreditar em quem você é de verdade. É assim, você nasceu pleno, alguém "jogou barro em seu espelho" e você não consegue ver a sua imagem. Qual é a dificuldade nisso? Você não consegue se ver, então, terá que lavar o espelho. Se você quiser pegar "um cara raso" para explicar sobre *branding*, ele falará para você trocar suas roupas e sapatos, pois quer começar por fora, mas o *branding* verdadeiro começa do lado de dentro. Vou provar isso agora fazendo uma analogia. Pinte uma mangueira de roxo, as folhas de amarelo e todos os frutos de qualquer cor. Ao longo do tempo, esses frutos começarão a crescer e trincar a tinta que está por fora. A essência está lá dentro, não adianta gerar *branding* do que não existe. Se você pintar todas as folhas, quando o Outono chegar, elas cairão e a verdade aparecerá novamente. Não faz sentido fazer *branding* assim, você deve construí-lo da seguinte forma:

- coloque uma semente em terra boa, coloque calcário, forneça água e luz. Aguarde, porque já está registrada a marca da mangueira.

Se seu *branding* está funcionando, significa que você está atraindo pessoas. É verdade também que a mesma semente colocada no lugar errado talvez não vingue.

Sempre me perguntam como conseguir seguidores. Gosto muito de comparar tudo ao natural. Pense em uma árvore repleta de frutos que produziu. Será que essa árvore precisa criar uma estratégia de marketing para entregar seus frutos? Claro que não. Então, por que você precisaria disso? Basta sair vida de você que os frutos aparecerão. E o que as pessoas querem? Eles desejam seus frutos, e as que não conseguirem ter proximidade tentarão pegá-los jogando pedra em você. Entenda que somente joga pedra quem está distante da árvore.

A natureza não precisa de marketing para entregar o fruto que produz. Contudo, se ninguém pegá-lo, apodrecerá. Portanto, se você não abre a boca, o que era para frutificar apodrece dentro de você. O *branding* da árvore é natural, mas um pé de limão que está na beira de um rio, em uma mata fechada, por exemplo, só será encontrado por quem sabe onde ele está. Como outras pessoas vão achar a árvore? O "lance" não é fazer marketing da árvore, mas entender que as pessoas que sabem onde encontrá-la falarão sobre ela. Ninguém te descobre, porque você está escondido. Todos os códigos estão na natureza, pois a criação revela o criador. Uma pessoa que pega um bom fruto diz para outra: *"Não tem nada igual, experimente aqui"*, isso é construir o *branding*, e não apenas fazer marketing, que é "uma furada". O *branding* é mostrar a transformação por meio de resultados.

Você deve entender também que as árvores podem ser movidas.

Comprei de Israel uma oliveira de 500 anos para plantar em meu jardim. Se até as árvores podem ser movidas, imagine você. A árvore não precisa se "vender", ela somente necessita ser encontrada. Isso é *branding*, e não *marketing*. Entenda que os frutos que você produz podem tocar a vida de outras pessoas, e elas falarem por você. Sempre que Jesus curava, ele pedia que guardassem segredo, mas "o povo ficava desesperado e saía contando". Enquanto você for uma "balela", ninguém falará sobre você, ou melhor, só falarão mal. Porém se você for muito bom, falarão bem e mal. Pega este código, *branding* é atração.

Estou procurando pessoas que não deixarão apodrecer os frutos. Não existem motivos para você segurá-los. Tem uma coisa que aprendi com o Deus Vivo: quem segura perde. No deserto, se o maná fosse guardado, apodreceria. Se você segurar a água de um rio, ela abaixará e represará. Peixes não reproduzem em represa, o rio secará, irá virar lama e, depois, deserto. E você terá que suar muito e escavar profundamente, se quiser encontrar água limpa novamente. O que você acha disso? Esse é o estilo de vida de quem não entende a construção da sua marca. Não é sobre ficar famoso, mas revelar quem você é. A pessoa que alcança a fama e não descobre o seu valor é como um foguete que sobe arrastado por outro. Quando é solto do cabo, cai da mesma forma que estava subindo. Não adianta ter fama e não tiver a essência.

Existem três tipos de fama: da Terra, do Céu e do Inferno. E, acredite, a que eu mais quero ter é a do inferno. Quando alguém de lá ouve falar no meu nome, para tudo e diz: "Vamos falar de outra pessoa, não mexa com esse cara que ele toca o terror". Com a fama da Terra, estou pouco ligando. Deus conhece meu coração e sabe que eu não aceito ninguém me tratando por fama. Não estou atrás disso. Quando eu estiver subindo a rampa da Nova Jerusalém, será assustador! O pessoal falará: "Esse é o Pablo? O *cara* que nunca afinou para ninguém e obedeceu àquilo que Deus o chamou para fazer? Que nunca parou por nada? Um homem incansável na geração mais acomodada da história? O homem que rasga o coração e lasca o bambu em tudo? Essa é a cena que eu espero ver. Quanto a Jesus, não vou esperar vê-lo no céu, pois eu já o vejo aqui. Esse é o código, você ainda cria expectativas futuras para fazer coisas no Céu, na Terra e em todo lugar, porque não está fazendo o que precisa ser feito hoje. Quando o seu coração explodir, você entenderá o que eu estou falando; não é sobre fama, e sim sobre baixar os *downloads* que você necessita.

Pessoas fazem negócio com pessoas, ninguém se interessa em seguir marcas.

Aprendemos que: "O não eu já tenho. Então, vou correr atrás do sim!". A verdade não é essa, mas: "Eu sou o sim para as pessoas! O sim que as pessoas estão procurando sou eu".

Os Reis da indústria e a Revolução Industrial caíram e, agora, a revolução da atualidade é a **digital.** Estou investindo o meu tempo e a minha energia nisso, porque você faz parte dessa transformação. Contudo, em toda vez que você estiver transbordando e fazendo sucesso, as pessoas vão procurar alguma coisa para te parar! Elas sempre falarão sobre tudo o que você estiver fazendo, então faça com valor e verdade.

Minha virada de chave foi: "Dê todo o seu conteúdo de graça, pois a maioria não saberá usar. Você pode dar o ouro que a pessoa não saberá o que fazer com ele". Quando comecei a entregar o conteúdo, tive a obrigação de buscar informações novas. Não quero ficar falando de mim, mas desejo encontrar alguém para dividir esse conteúdo. Enquanto estou dando conteúdo de graça, escrevo livros, chamo as pessoas para se conectarem e, ao mesmo tempo, fazendo o meu *Instagram* crescer. O que funcionou no último lançamento talvez não funcione no próximo. As pessoas falam: "Mas é uma fórmula, uma receita". **Eu não acredito em receitas!**

Fizemos R$ 500 em quarenta minutos; no lançamento do livro, fizemos oito dígitos em vinte minutos, e esse é um recorde mundial. Criamos uma diferença no livro e vendemos pelo preço da logística, não incluindo o frete. Nos últimos lançamentos que fiz, 70% de quem comprou o livro também adquiriu o curso. Você ensina o caminho à pessoa para comprar o produto barato; então, ela perde o medo e você ainda sugere um ***order bump*** que é uma opção de vender outro produto na tela de *checkout*. Temos que afastar o medo da compra pela Internet instalando a reciprocidade. "Pablo, mas você vai entregar o conteúdo de graça, vai sobrar o quê?", questionam. Sobrará o método, a experiência e a energia.

O livro abre portas, fazendo parte da capitalização. Eu não deixo de gerar conteúdo novo, porque de todo conteúdo novo criamos um livro. Fiz uma *live* que virou um livro; eu faço o terror, porque aprendi a fazer isso. Ensinarei como fazer também, mas, antes, esqueça o nome e a capa. Assuntos que estão dentro de mim começam a tomar forma quando decido escrever. Primeiramente, tenha a data do lançamento; depois, estruture os capítulos que podem ser questionamentos que te proporcionarão autoralidade.

Tarefa 1: você já entendeu que seu *branding* está dentro de você? A tarefa é fazer uma lista com dez coisas que você ama fazer e outra com 10 características suas.

O QUE EU AMO FAZER?	CARACTERÍSTICAS MARCANTES
1	1
2	2
3	3
4	4
5	5
6	6
7	7
8	8
9	9
10	10

Tarefa 2: você só não tem *branding* forte, porque está escondido! Com base na resposta da tarefa anterior, elabore cinco conteúdos para começar a falar no seu *Instagram* ainda hoje.

1. _____
2. _____
3. _____
4. _____
5. _____

Tarefa 3: agora, grave um vídeo para o *YouTube*, ensinando algo que você já sabe. Quando estiver pronto, analise os seguintes pontos:

De 1 a 5, qual o seu grau de energia neste vídeo?

( ) 1   ( ) 3   ( ) 5

( ) 2   ( ) 4

Você acredita que seu **método** ficou claro?

_____
_____
_____
_____
_____
_____
_____

Qual foi a experiência que as pessoas tiveram ao assistir? Veja isso nos comentários.

_____
_____
_____
_____
_____
_____
_____

Tarefa 4: coloque aqui a data de publicação do seu **primeiro livro** ou **e-book**:

_____/_____/_____

Sua imagem vale mais do que qualquer fórmula ou método!

Gaste todas as fichas na fase de aprendizagem. **Chega de esperar! Comece a partir de agora a cair para dentro!**

Como eu já disse anteriormente, defina quem você é, encontre a sua essência e faça as pessoas descobrirem isso! Solicite um *feedback*, mas não aceite que qualquer pessoa fale sobre a sua vida. O *feedback* deve vir de quem já tem resultado.

Contarei um segredo para você: a única coisa que eu queria na vida era pregar o Evangelho de Cristo, a única coisa! Eu acreditava que seria um pastor, mas senti, em meu coração, ainda que estivesse sendo empurrado por outras pessoas, que Deus não havia me chamado para isso. Fui parar na *Brasil Telecom* e conheci o mundo dos negócios, fui caminhando e, no percurso, encontrei novas oportunidades.

Então, percebi que as pessoas que ficam com a questão de pregar o Evangelho são as mais chatas que existem. Notei que, seguindo esse caminho, jamais iriam me ouvir falar "dEle". Entendi que influenciar era um negócio absurdo para levar o que havia em meu coração. Eu tenho um alvo para tudo que ensino, o **Reino dos Céus**, e percebi que, se eu fosse um religioso, não alcançaria ninguém, porque a religião cria um clube fechado e não abre para outras pessoas entrarem. E isso mexeu muito comigo, me fez querer entrar nos lugares, mas tive que desvincular minha imagem do *"gospel"*, da igreja. Para tanto, criei um *branding* de afastar os religiosos de perto de mim. Construí um muro para afastá-los de mim, pois eles não precisam de ajuda.

Eu provoco o afastamento e crio uma multidão para falar de mim. Faço as pessoas entrarem na discussão e começarem a me seguir, porque alguém falou mal. Muitos falaram de mim, quando desvinculei minha imagem da Igreja. Eu ficava embaixo da "bolha gospel", sem poderes, porque os religiosos detêm, eles que mandam!

Então, comecei a me conectar, fazer mentoria e, quando

percebi, já havia superado a "bolha". Continuei fazendo o que estava em meu coração, fui muito metralhado, recebi muitos "bombardeios". Se você deseja crescer, não deve ficar sem *haters* (pessoas que simplesmente não estão felizes ou satisfeitos com o êxito, a conquista ou a felicidade de outra pessoa). O *hater* faz várias pessoas despertarem atenção para você.

Tarefa 1: encontre alguém que já tenha os **resultados** que você quer atingir e pergunte se poderia ser seu mentor. Peça por um *feedback* de sua imagem e escreva abaixo as tarefas que você fará relativas ao assunto.

Tarefa 2: você já tem algum *hater*? Se não, é porquê somente está falando o que as pessoas desejam ouvir. Escreva qual situação te deixa indignado e se posicione sobre isso nas redes sociais, gravando *stories*. Conte aqui qual foi a sua experiência e como as pessoas reagiram.

Os 3 "As"

O primeiro **A** significa **AUTORALIDADE,** que é o processo de dar nomes para coisas que já existem, colocando minha personalidade nelas. Posso colocar o nome que eu quiser. Não tenho amor aos nomes, porque eles vão passar. Tenho amor por crescer e prosperar. Com autoralidade, eu não me curvo para as pessoas. Quanto à audiência, às vezes, você é obrigado a fazer o que elas querem. Contudo, eu **não busco a audiência, ela me busca!**

Dica: troque as palavras, pois elas têm poder. O brasileiro implica muito rápido com coisas novas.

O segundo **A** é o **ALCANCE,** que é amplificador, é como pegar um microfone e ligá-lo a uma caixa de som para reproduzir a sua voz. Quando sou bom em nomes e tenho autoralidade, construo "rampas" para amplificar as coisas que estou criando. **No momento em que as pessoas falarem: "Você é uma indústria de conteúdos!", pronto, significa que você *rampou*!**

Há sempre as mesmas promessas de donos de novas redes sociais, eles dizem: "Vamos entregar 100% do seu conteúdo!". Isso é uma mentira! Não é possível entregar tudo o que você produz nas redes sociais para todos os seus seguidores, porque o algoritmo não faz a entrega de um volume de dados tão grande. Eu falo para todos que me seguem pararem de seguir tanta gente no *Instagram*. Primeiramente, porque faz bem; depois, porque ninguém consegue manter amizade ou relacionamento com mais de cento e cinquenta pessoas. Apenas fazendo isso, o alcance já aumenta. Quando as pessoas fazem o que eu digo, meu conteúdo é entregue mais vezes. Peça para as pessoas que ativem as notificações, salvem e comentem as suas publicações. Isso leva os dados para fora da plataforma. O passo mais poderoso é a descentralização. Então, crie grupos no *Whatsapp, Telegram* e configure ligações telefônicas personalizadas. Na empresa, faço bem mais do que quatrocentas mil ligações efetivas por semana. Se você tiver doze amplificadores profissionais, ninguém consegue te parar.

O último **A** é a **AUDIÊNCIA**, que é atraída pela autoralidade e alcance. Não é tão importante e ativa, e só exerce poder quando você se dobra para ela. Se depender da audiência, quando você errar, estará "frito". **A voz do povo é a voz da ignorância. Então, escute a voz de Deus!** Se quiser chamar atenção da audiência, não dê descontos, dê brindes! **O melhor brinde é o resultado!** Audiência engajada correndo atrás de quem eu sou, é tudo!

Tarefa 1: ter **autoralidade** é ser original e criar seus próprios nomes. Escolha um assunto sobre o qual você já fala e crie um nome único para ele, que pode ser o seu "jeito" ou "método" de fazer isso.

_____

_____

_____

_____

_____

_____

Tarefa 2: agora, crie um grupo no _Telegram_ ou _Whatsapp_ e use o nome que você acabou de pensar. Convide as pessoas que te seguem para entrarem nele.

Dica: você pode colocar conteúdos exclusivos no grupo, enviar lembretes de suas lives e criar um diálogo com sua audiência. Faça isso todos os dias.

ESTILOS DE MARKETING

Existem dois estilos de marketing que talvez você não conheça: *inbound* e *outbound*. No marketing *outbound* ou marketing tradicional, você vai atrás das pessoas e oferece seu produto. Essas pessoas normalmente não te conhecem e podem querer comprar de você ou não. Já no *inbound* ou "marketing de conteúdo", você nunca vai atrás das pessoas, mas faz com que elas venham até você. Seu conteúdo faz com que pessoas se interessem e comecem a te seguir. Elas te conhecem e, por conta disso, compram de você.

Há maneiras de atrair pessoas e vender seus produtos no digital sem que você precise fazer publicidade do tipo "propaganda de rádio". Isso só funciona se for institucional e testemunhal, só serve para conversa imediata, chamar alguém ao vivo. Na era da Internet, você não precisa de propaganda institucional (marketing *outbound*), mas de atração (marketing *inbound*). No mundo digital, o segredo está em atrair pessoas e, para isso, precisamos de iscas. Fazer *lives* é um tipo de isca que você pode entregar todo seu conteúdo para gerar transformação; caso contrário, poucos vão querer te ouvir. A maioria das pessoas que conseguiu grandes lugares na Internet não tem conteúdo relevante. Elas até têm relevância, mas não geram transformação; são interessantes nas coisas que estão fazendo, mas são conteúdos que não monetizam. Lembro que, na minha primeira *live*, havia exatamente duas pessoas me assistindo e uma delas era um dos meus melhores amigos, que ainda me ligou dizendo: "Você acha que é famoso? Pare de fazer isso!". A verdade é que as pessoas não estão muito interessadas em ver você saindo da média. No entanto, a estratégia é gerar valor em vez de gastar dinheiro fazendo propagandas.

Fui sócio de um dos maiores produtores de eventos do Brasil em um festival para quinze mil pessoas, e ele nem sabia disso, porque tive uma participação insignificante. Eu o achava "o máximo".

Contudo, há pouco tempo, alguém falou de mim e ele se assustou, dizendo: *"Estou seguindo esse cara!"*, e a pessoa respondeu: *"Ele já foi seu sócio"*. Surpreso, exclamou: *"Você está de brincadeira, me conta mais sobre isso!"*. Eu já havia sido sócio da pessoa e ela não sabia, mas estava sendo transformada pelos conteúdos que tenho passado na Internet. Quando tivemos oportunidade de nos encontrar, fiquei assombrado com o que aconteceu. Ele tremia para falar comigo e meu cérebro não conseguia compreender aquilo. Por que ele estava assim, se eu quem tremia quando chegava perto dele? Ele é um produtor gigante que já fez eventos com grandes nomes da música mundial, e não conheço ninguém maior que ele no que faz. O problema foi ser rei apenas no *off-line*, é um *cara* que fica sempre escondido. Ele não se posiciona nas redes sociais, e ficou chocado em me conhecer!

Antigamente, as pessoas paravam tudo que estavam fazendo para olhar o rádio, apesar de estarem ouvindo. Esta atenção foi desviada para a TV e, agora, é o celular que causa esse efeito hipnotizante sobre as pessoas. Então, pergunto: onde você tem que estar? Se não tiver no digital, corre sérios riscos de não vender mais nesta geração. A técnica que uso para atrair é o *Branding*. Na mente, está o poder da atração; assim, antes de fazer qualquer coisa, eu começo a atrair com o poder da mente. É simples e você paga menos.

Tarefa 1: você acredita que seu conteúdo é transformador? Que mudança você quer gerar na vidas das pessoas?

Tarefa 2: crie problemas que somente você pode solucionar. Liste oito deles que criará e as ações que desenvolverá para solucioná-los.

	PROBLEMA	SOLUÇÃO
1		
2		
3		
4		
5		
6		
7		
8		

POSICIONAMENTO

Uma pessoa com posicionamento gera muito CAC 0. E o que é isso? Custo de Aquisição de Cliente zero

Seja uma pessoa fortemente posicionada em relação à sua imagem. Faço muito, mas penso em estratégias diferentes, gero valor alto e sou considerado um dos maiores lançadores do Brasil atualmente devido a esse motivo. Quando você é bem-posicionado, ficará entre muitos inimigos; no entanto, todos que são inimigos do seu inimigo são automaticamente seus amigos. Quando você tem essa repercussão e as pessoas falam sobre você, seu custo de aquisição de cliente é zero. Ou seja, alguém assiste a um vídeo meu que é disruptivo e que causa impacto, onde faço um desbloqueio ou algo do tipo, e logo esse vídeo *viraliza*, porque as pessoas compartilham com todo mundo. Logo, muitos desses seguidores gratuitos se tornarão clientes e compradores.

Como se faz isso? Por meio da diferenciação, gerando conteúdo de alto impacto emocional, de retroalimentação e autoralidade que mantém a essência do *expert*. Por exemplo, todo mundo fala *insight*, já eu chamo **código,** que é uma palavra minha, isso é autoral. Então, quando você tem a sua essência fortificada, deixa de ser café e começa a virar "*Starbucks*".

Tem que ficar claro que lançamento é colocar algo em exposição em curto espaço de tempo, com objetivo final de uma tomada de decisão. O que é um lançamento digital? É um evento onde as pessoas serão convidadas e passarão por uma condução do nível de consciência que vai fazê-las comprar um produto ou alguma outra coisa nesse sentido.

No processo de lançamento, aumentamos o nível de consciência da pessoa, conduzindo-a emocionalmente para a tomada de decisão.

Tarefa: como você tem se posicionado hoje, como "*Starbucks*" ou como *café tradicional*? Com base no que aprendeu, faça três tarefas para melhorar seu posicionamento. Coloque datas para finalizar.

DATA

1. _____

2. _____

3. _____

4. _____

5. _____

O LANÇAMENTO

Meu primeiro evento de grande porte aconteceu em um ginásio

gigante com 15 mil pagantes, e a expectativa dos meus sócios era de, no máximo, 8 mil. Fiz um lançamento presencial e coloquei um alvo de quinze mil ingressos. Poucas pessoas que ainda não são famosas conseguem vender essa quantidade para um show, por exemplo.

Revelo aqui a minha estratégia: orava semanalmente e pedia a Deus um milagre. Chamava meus sócios e eles ficavam rindo de mim. Nunca esquecerei que eu planejava sozinho. Foquei naquele lançamento e devo ter entregue mais de 50 mil panfletos. No entanto, não me esqueço, principalmente, da minha oração:

"Senhor, eu coloco tudo em Suas mãos e não aceito o ginásio com menos de 15 mil pagantes." Para chegar naquele número de pessoas pagantes, foi preciso um esforço surreal. Se tivéssemos feito pela Internet, teríamos gasto menos energia e com menor investimento. Depois de orar, fui para a ação. Por isso, oração. Esse é o código: **orar + ação**.

Os lançamentos são semelhantes, a diferença é que o digital alcança mais pessoas sem que você saia do lugar. Quando faço um lançamento digital no *Instagram*, não jogo meu dinheiro no lixo, ele me dá a métrica real. Por isso, pago com alegria de R$ 800 mil a R$ 1 milhão de reais. Quando lanço um produto na Internet, alcanço mais pessoas rapidamente com a certeza de que estou entregando a publicação com dados analíticos, sem me mover do lugar. Com a panfletagem, gasto dinheiro e sujo o planeta, porque a pessoa, depois que olha do que se trata, joga fora o papel.

Além disso, as pessoas não largam o celular, virou um membro do corpo delas. Esse é o segredo de você investir a energia que possui para fazer as pessoas receberem o seu conteúdo. O restante é apenas afinar estratégia.

Tarefa: pare de investir energia naquilo que não dá resultado. Crie uma conta de anúncios no *Facebook* e veja um tutorial de como subir seu primeiro anúncio *on-line*. Faça isso nos próximos sete dias.

PILARES DO LANÇAMENTO

Existem três pilares do lançamento: **banco de dados, lançamento e produto**. Isso é um fundamento importante que precisa ficar claro. Não seguimos fórmula para lançar, e sim misturamos tecnologias. Conseguimos inovar e ter bons resultados, porque não fugimos do fundamento. No que é processual, é possível mexer; já no fundamento, não. Isso porque senão cai tudo, como os pilares de uma casa. Nunca fugimos do lançamento, brincamos com as tecnologias e com os artifícios que temos. Por isso, acontece a disrupção. Apresento esses pilares para que você entenda melhor.

PRIMEIRO PILAR – BANCO DE DADOS

Banco de dados (BD) é o ponto de contato direto com a sua audiência em que você consegue fazer um lançamento e vender. Não estou falando da galera no *Instagram*, *Facebook* e *YouTube*. Nesses casos, existe um intermediário, o algoritmo. BD seria *Telegram*, *Whatsapp* e e-mail. É um ponto de contato em que você se comunica com alguém automaticamente, sem nenhuma intervenção. Quando as pessoas postam alguma coisa nos *stories* ou *feed* do *Instagram*, por exemplo, o algoritmo decide para quantas fará a entrega. Se você tiver um ponto de contato sem intermediário, já tem 70% do lançamento pronto, porque lançar nada mais é do que uma micro estratégia. No meu primeiro lançamento em São Paulo, fizemos exatamente isso, o BD no e-mail.

Naquela época, tinha 40 mil seguidores. Por fim, fizemos R$ 40 mil reais de investimento e o lançamento faturou 1 milhão e 60 mil. O que mudou desde o meu primeiro lançamento? Novas árvores, ponto de contato efetivo direto e um banco de dados, que são os três subpilares para a construção de audiência. Essas 40 mil pessoas (*leads*) pareciam um número muito alto, ainda mais naquela época. Atualmente, não é mais. Para tanto, fazemos lançamento com 700 mil *leads* na base, e um dos diferenciais que temos é fazer tanto no e-mail quanto no *WhatsApp*, potencializando um fundamento.

Com o que é acessório, você pode brincar, mexer e transformar. Já os fundamentos precisam ser potencializados por você

O que potencializa o BD é a comunidade, o relacionamento e a cultura, pois, quando você cria comunidade por meio de um movimento, as pessoas morrem pela causa. A potencialização de um fundamento garante um resultado explosivo. Por exemplo, um *expert* de maior referência do Brasil em finanças e meu amigo tem um ponto de contato muito forte com sua audiência, porque é através das *lives* do *Instagram,* mesmo tendo o algoritmo. Seu público é tão engajado que nem precisa de lançamento, basta ele fazer uma oferta durante a *live,* e já faz múltiplos oito dígitos de lucro, tirando todos os custos com impostos, tráfego e equipe.

Você deve construir um BD com *CTA's*, tendo como base o seu público. CTA é a chamada para alguma ação (*call to action*), levando para o cadastro no endereço de e-mail, grupo de *WhatsApp* e canal do *Telegram*. Contudo, se você for *commodities*, não conseguirá arrastar essa *galera*, porque ela não quer ver mais do mesmo. Se você tiver um diferencial, as pessoas vão querer estar em todos os seus pontos de contato para receber informações originais.

Quando você não tem o básico, que é o BD clarificado, não consegue criar relacionamento, comunidade e cultura de maneira intuitiva, potencializada e com intencionalidade. Então, no BD, temos três subpilares em que o pessoal não atua, por isso existem diferenças gigantescas entre um lançamento e outro. Se você entender e fizer isso de maneira intencional, dobrará a *performance* dos subpilares, refletindo juros compostos no total.

Tarefa 1: disponibilize seu *Whatsapp* e *Telegram* para aumentar o ponto de contato com sua audiência.

Tarefa 2: você já instalou a cultura do seu movimento através do relacionamento com sua comunidade? Caso a resposta seja negativa, crie abaixo 3 tarefas para começar a engajar ainda hoje a sua audiência.

1. _____

2. _____

3. _____

SEGUNDO PILAR – LANÇAMENTO: CUIDE DO SEU JARDIM

Não procuramos nenhum cliente, pois geramos valor de forma tão absurda que eles vêm atrás de nós. Você só fará o mesmo quando parar de olhar para os outros e olhar para si. A maioria das pessoas é do tipo que corre atrás de borboletas. Imagine você em um campo de futebol gigante correndo atrás de uma borboleta com uma rede bem pequena na mão. Tanto para lançamento, quanto para captação de cliente e *lead* em nossas redes sociais, apenas cuidamos do nosso jardim, plantamos, adubamos e regamos as plantas todos os dias, deixando-o bem bonito. Então, não procuramos nem *lead* para comprar, metaforicamente falando, nem seguidores e nem cliente para a agência. Cuidamos apenas da nossa vida e nosso jardim fica bem florido, logo as borboletas chegam livremente. Elas vêm de cinquenta, cem, duzentas, e podemos escolher quais queremos pegar. É fácil para mim, pois faço um *story* com o *clique no link* e os trezentos melhores gestores de tráfego do país, por exemplo, querem vir trabalhar comigo, simplesmente porque meu jardim é verde. Podemos aplicar isso para tudo na vida.

Se eu não faço *live* às 4:59, recebo mais de 10 mil *directs* dizendo: "Cadê você, Titi? Aconteceu alguma coisa? Passou mal?". São as borboletas vindo ao meu jardim!

Tarefa: você tem cuidado do seu jardim? Pontue três coisas que fará para deixá-lo mais verde, atraindo cada vez mais borboletas.

1. _____
2. _____
3. _____

TERCEIRO PILAR – PRODUTO: O CONTEÚDO

O produto é a transformação que você oferecerá para a pessoa. Um produto de alto impacto precisa ter autoralidade. Quando você tem uma essência, deixa de ser comum e se torna incomparável. Retroalimentação é um conteúdo que abre um *looping* na cabeça do público, sem que percebam. No início de um vídeo, por exemplo, se você diz que apresentará cinco técnicas para ganhar dinheiro na bolsa de valores e que a quarta técnica é a melhor de todas, realmente tem que ser a melhor. A pessoa começa a assistir ao vídeo mesmo sendo ruim e fica até a quarta técnica, pois um *looping* se abriu na cabeça dela. Dá para fazer isso com todo o seu conteúdo, em todas as *lives*.

Terminamos as *lives* avisando que se houver 70 mil comentários no *post* que faremos no *feed* do *Instagram*, vamos entregar mais conteúdo.

Assim, criamos antecipação e retroalimentamos, e a pessoa precisa cumprir um desafio para continuar recebendo novas informações.

Os *posts* chegam a mais de 120 mil comentários, porque as pessoas querem uma próxima *live*. Então, conteúdo de retroalimentação é aquele que você faz de maneira pensada e deixa a pessoa com desejo de assistir mais.

Um conteúdo de alto impacto promove a *viralização* e ajuda a aumentar o banco de dados orgânico. No último lançamento, mais de 6 milhões de reais foram referentes a *lead* orgânico, não gastamos um real de tráfego para converter. E você pode me perguntar: que tipo de conteúdo *viraliza*? Quando há autoralidade e retroalimentação, as pessoas não "dão conta" de ver e não compartilhar! Elas sentem necessidade disso e, ao compartilharem, temos o **CAC 0**, ou seja, chegam novas pessoas sem termos feito investimento.

Um ponto importante para gerar emoção é o *CTA* invertido. Como já abordei, *CTA* é o *call to action* ou "chamada para ação" que fazemos nos lançamentos e que multiplica o nosso faturamento. Durante as *lives*, eu falo para as pessoas: "Chama alguém que você conhece para participar junto". Se eu disser só isso, elas não convidariam ninguém, porque pensariam que é para o meu benefício. Ao inverter o *CTA*, você está invertendo o benefício e, quando as pessoas entendem que seu pedido é bom para elas, fazem por um sentimento de egoísmo. É muito mais fácil quando alguém faz algo por si, principalmente uma audiência que nunca te viu a não ser pela Internet.

Se na primeira *live* de um lançamento, eu disser: "Traga alguém para esse desafio e sua transformação ficará mais fácil", será terrível. O que eu preciso dizer em meu *CTA* e que fará as pessoas compartilharem a *live* é o seguinte: *"Você se lembra de todas as vezes que começou a ir à academia? Estava empolgado nos primeiros meses, mas logo desistiu. Quando você se exercita com um amigo, marido, primo ou alguém que te acompanhará nessa jornada, a pessoa te animará, porque vocês estão em parceria neste projeto".*

Um *CTA* com objetivo de trazer mais pessoas para uma *live*, ou para um lançamento, pode aumentar seu banco de dados de 30 a 50% nos *leads*. Ou seja, você terá 50 mil pessoas te assistindo e chegam mais 25 mil pessoas que foram chamadas por seu público de forma orgânica. No final do lançamento, isso pode significar alguns milhões a mais em seu bolso.

Fazer a pessoa se engajar depende de duas coisas: a primeira é o encantamento. Ser sensual na fala para despertar desejo nas pessoas de fazerem aquilo que você está falando. Se não tiver essa forma ardente de falar, ninguém seguirá. Além disso, faça as pessoas entrarem na história. Durante o lançamento, eu digo: *"Jesus mandou os 70 discípulos de 2 em 2. Se um desanima, o outro levanta. Então, por que você não consegue?"*. Nesse momento, a pessoa já entrou e, para autenticar ainda mais, eu digo: *"Pense agora em três pessoas e pode acreditar, das três, só uma vai continuar com você"*. A pessoa já conectou na história e isso é uma das bases para o movimento. Quando digo para andar com mais alguém, ela sente essa necessidade, porque quer chegar até o fim. Tudo isso acontece de maneira orgânica e natural.

Contudo, uma forma de potencializar isto é por meio do tráfego pago. E quais as vantagens? A resposta é **velocidade.** Sua mensagem chega mais rápido, para mais pessoas, em um espaço de tempo mais curto. Além disso, você tem controle do que está acontecendo, enquanto, no orgânico, isso não existe. Isso porque tudo depende do dia e do alcance do algoritmo. Sendo assim, a segunda forma de conseguir público, audiência e BD é por meio do tráfego pago.

Ao impulsionar suas publicações com tráfego pago, você pode escolher para quantas pessoas, em quanto tempo e para quem a mensagem será entregue. Você pode selecionar seu público de acordo com categorias que serão escolhidas por você: podem ser homens, mulheres, pessoas que noivaram nos últimos seis meses, empresários, pessoas que assistiram ao seu vídeo. A desvantagem é o custo, porque você tem que investir no *Facebook* e *Instagram*, que estão em uma mesma plataforma, e no *Google Ads*.

Essas são as formas de construir o BD e, uma vez que você o tem, pode fazer o que quiser com ele, consegue vender, fazer oferta e manter relacionamento. O BD é o pilar mais importante de todos e você deve tratar todos os dias, não pode subestimá-lo.

Tarefa 1: o que você tem feito para despertar o desejo nas pessoas para engajá-las de forma orgânica?

_____

_____

_____

_____

_____

_____

Tarefa 2: faça um vídeo no *YouTube* e aplique a técnica do *looping*. Descreva a reação que seu público teve. Aproveite o ouro que há nos comentários do vídeo para fazer o próximo.

_____

_____

_____

_____

_____

_____

Tarefa 3: você já fez tráfego pago para aumentar sua audiência e lista? Caso não tenha feito, faça ainda hoje uma publicação e impulsione-a no *Youtube* ou usando o *Facebook Ads* e ou *Google Ads*.

Dica: caso ainda não seja familiar com as plataformas sugeridas acima, faça uma breve pesquisa no *Google* e escreva o resultado aqui:

_____

_____

_____

_____

_____

_____

_____

UPSELL

Upsell é realizar uma venda depois da venda, como vender um acessório, algo a mais. Após concluída a venda principal, aparece em sua página: "Obrigado, compra concluída!" e uma nova página se abre, sugerindo uma nova oferta. Essa é uma estratégia de vendas que aumenta seu relacionamento com a pessoa, ou seja, a sacada do *Upsell* é o *networking*. Quando o produto que está sendo oferecido na tela já é familiar, a probabilidade de fechar outra venda é muito maior. É mais fácil falar do "alvo do *upsell*" no decorrer do lançamento e ir instalando na mente da pessoa até que ela perceba que precisa comprar o que será sugerido. É como se você criasse uma oportunidade para a pessoa adquirir um item mais completo do que o que ela já tinha escolhido, é um acessório ao produto principal para potencializar o resultado.

Um erro bastante cometido é vender no *upsell* algo que faz parte do produto principal, pois o que for vendido nesse momento precisa ser um acessório. Isso é o mesmo que vender um carro sem as rodas. Ele tem que ser vendido com elas, não precisam ser exatamente aro 22 de liga leve, por exemplo. Nesse caso, esse algo a mais pode ser oferecido no *upsell*.

Segundo erro é não criar antecipação do *produto-acessório* antes da abertura do carrinho. Você pode citar na *copy* (texto persuasivo repleto de gatilhos mentais), nos *e-mails* ou na sua comunicação das *lives*. O que for oferecido precisa estar clarificado na mente da pessoa, ou seja, já deve parecer familiar. Lembre-se de que as pessoas compram se tiverem clareza.

ORDER BUMP

Order Bump é um produto complementar que é apresentado no momento da compra principal e que permite aumentar o ticket médio de cada venda, usando os dados já inseridos na página de pagamentos, o *checkout*. O *Order Bump* tem que ser adicional, algo que faça sentido para as pessoas, e o melhor cenário é que ele não tenha custo físico para você.

Usar as ferramentas *upsell* e *order bump* é como achar dinheiro na rua. "Tem muito ouro na rua para achar e quem não usa está perdendo, simples assim." Outro diferencial nosso é que não ficamos relançando produtos, o único foi *O Pior Ano da Sua Vida*. Os demais foram novos, porque conteúdo é infinito. Produtos expostos próximos ao caixa dos supermercados são exemplos claros de *Order Bump*.

Tarefa: descreva com suas palavras e novos exemplos a diferença entre *Upsell* e *Order Bump*.

Se você não abre a boca, o que era para frutificar apodrece dentro de você!

CAPÍTULO 06

CRIANDO UM MOVIMENTO

Para criar um movimento, primeiramente, você tem que expor **sua essência.** Você precisa conhecê-la e fazer ajustes minuciosos em seu comportamento, sem perdê-la. Deve descobri-la, pois pessoas que não conhecem sua própria essência querem trocá-la a todo momento por dinheiro, e "isso é terrível!". Entenda que ela é como um perfume e aonde você chegar as pessoas sentirão sua fragrância. Existe um termo para isso: "idiossincrasia", que é uma característica exclusivamente sua. São detalhes pessoais e pontos tão marcantes que, se outras pessoas reproduzirem algo que é seu, fica clara a autoria, as pessoas reconhecem e, no meu caso, dizem: "Isso é do Pablo". São características únicas.

Em seguida, você precisa ter **uma causa**, porque não existe movimento sem ela. As pessoas morrem por isso. Existem pesquisas em que foi levantado o número de pessoas que morreram, e ainda morrem, pelo evangelho de Jesus. Elas foram mortas não por serem cristãs, mas pelo fato de não terem negado a Cristo, sendo a maior parte assassinada pelo Islã, no qual elas deveriam negar a Jesus como Senhor, e tudo que seu nome representasse.

Trinta e cinco milhões de pessoas foram assassinadas por não negarem Jesus nesses últimos 2020 anos. É um número impressionante. Jesus, ao mostrar sua essência, ativou a causa do evangelho e quase todos os seus discípulos foram mortos, porque se engajaram nela. Ele teve doze discípulos, um deles foi Judas que o traiu e se suicidou, outros dez foram mortos, e apenas um ficou até o fim. Este foi João, que escreveu o livro do Apocalipse, e a respeito de quem Jesus disse: "*Existe um entre vocês que verá o Reino e não morrerá antes disso*". Além deles, os discípulos dos discípulos também sofreram mortes pesadas. A essência do cristianismo é desviar as pessoas do inferno e, nesse percurso, elas conseguirão reinar. O maior senso de causa que já vi na Terra é o de seguir a Jesus. Ele conseguiu alastrar em todo o planeta um movimento poderoso, sem dinheiro e sem usar o digital. Imagine com a Internet?

Precisamos entender que tudo que Deus criou está em movimento e quem não está em movimento cria um mo-numento. O vento sopra e as árvores se movem por causa dele, os animais se locomovem, os rios rolam suas águas até chegarem ao mar, as águas dos mares também se movimentam, a Terra gira em torno de si mesma e em volta do Sol, porque Deus estabeleceu assim. Você é dono dos seus movimentos, mas é importante que analise se algo parou de se mover em sua vida. Lembre-se de que tudo que para de se movimentar torna-se monumento. Por que as pessoas, que eram artistas famosos, não ganham mais dinheiro como antes? A resposta é simples, porque não se atualizaram e não fizeram a transição para o digital. Eles viraram monumentos. Eram famosíssimos, mas não acompanharam a mudança.

Costumo dizer para todos ao meu redor que essa época de fama na Internet, inclusive a que eu tenho, passará. No entanto, quando isso acontecer, já estarei famoso, em pelo menos, outras três áreas, porque entendi o segredo que é estar no movimento certo. Se você não conseguir compreender essa essência, não será capaz de criar o seu próprio movimento, que lhe conectará a um movimento maior. Para isso, precisará revelar sua essência e trazer uma causa e engajar pessoas nela. Foi assim que consegui fazer treze milhões de reais em um lançamento. O objetivo era alcançar vinte milhões.

Crie engajamento colocando as pessoas para fazerem tarefas, não entregue nada facilmente, porque, caso contrário, elas não farão nenhum movimento. Diariamente, crio desafios, tais como: "Hoje, a meta é fazer 20 mil comentários em minha última publicação, para que consigam receber as tarefas". Elas se esforçarão para chegarem ao número que eu estabelecer. A tarefa tem alto valor e, se as pessoas não baterem a meta, não entrego mesmo, e isso já aconteceu algumas vezes.

Entenda que seu produto é menor do que você, e você menor que o movimento. Dessa forma, você não mais exaltará nem o produto e nem você. Como expert, exaltará o movimento. No entanto, os movimentos sempre precisarão de líderes!

Tarefa 1: você está em movimento ou é um monumento? Analise se algo parou de se mover em sua vida e, para cada área parada, crie uma ação para começar a se mover.

1. _____
2. _____
3. _____
4. _____
5. _____
6. _____

Tarefa 2: o seu movimento já tem uma causa forte?

Dica: descubra qual o inimigo que você e sua audiência têm em comum para engajá-la na defesa da sua causa.

_____
_____
_____
_____
_____
_____
_____

A IMPORTÂNCIA DOS *DRIVES* MENTAIS

A instalação dos *drives* mentais, através de *copywriting*, é um dos maiores segredos em qualquer lançamento, tanto no marketing digital, como em outros mercados. No entanto, uma chave que existe em fazer uma boa *copy* está na dissuasão. *Copywiting* é a arte de escrever ou falar de forma persuasiva. Ser persuasivo é saber imputar e convencer alguém a respeito de uma nova ideia. Persuadir uma pessoa é fácil, é como pegar um pirulito da boca de uma criança, já convencer essa criança a desistir do pirulito é mais difícil. Eu não tomo o doce dela, mas trabalho seu nível de consciência para que ela desista dele e o entregue em minhas mãos. Através da persuasão, você retira o que quiser de alguém, mas a dissuasão é muito mais poderosa, pois, com ela, se elimina a intencionalidade, e este é o fator mais "pesado" em uma *copy*. **Dissuadir é retirar da mente das pessoas o que elas já decidiram.**

Quando as pessoas me escutam, mesmo as que não estavam interessadas em comprar, fecham a venda comigo. Durante o lançamento, quando abro o carrinho, todos os *drives* que quero já foram instalados nas pessoas. Você precisa gastar tempo, dinheiro e energia, antes do lançamento, para que as pessoas te conheçam previamente, assim haverá uma conexão mais forte. Você não instalará confiança e gerará valor na vida das pessoas, se não gastar tempo com elas.

Uso *drives* "cabulosos" para criar pontos em comum com meu público. Comecei a usar frases que chamo de **"códigos"**. Esses "códigos mentais" são reais, e eu friso para quem está aprendendo: **gere valor verdadeiro para as pessoas!** Não admito que uma pessoa que aprendeu comigo minta para vender qualquer coisa.

Um dos *drives* mais poderosos está em *Eclesiastes 7:8*, que diz: **"Melhor é o fim do que o começo"**. Use-o quando quiser que uma pessoa não desista de algo que você propôs à ela. Ao falar isso repetidas vezes, sua audiência entenderá que não pode abandonar "o barco" e sentirá que precisa continuar com você. Outra forma infalível é perguntar qual é o oposto de sucesso. Grande parte das pessoas responde que é fracasso, mas eu contorno dizendo: "*O contrário de sucesso não é fracasso, é desistência*". No senso comum, em que a maioria dará respostas padronizadas, você tem oportunidade de instalar o *drive* que pretende.

No grego, esse processo de instalar novos *drives* se chama *metanoia* e significa mudança de rota ou de mentalidade. Todo movimento tem que produzir *metanoia*. Você pode ter 100 mil pessoas assistindo a sua *live*, mas, se elas não estiverem conectadas contigo, seu lançamento será uma merda! Ter uma multidão te seguindo é uma métrica de vaidade. A pessoa no movimento implorará pelo seu produto. No momento em que isso acontecer, é porque você amadureceu e se tornou uma autoridade no assunto. Você terá criado um movimento quando o que criou se tornar maior do que você. Mais fácil do que instalar um *drive* novo é ativar um que já existe. Ter *drives* que você usa e faz com que as pessoas repitam, acionará *drives* inativos ou instalará outros poderosos nelas.

A chave para fazer seu movimento explodir de forma assustadora é o transbordo. Se as pessoas que estão aprendendo com você começarem a ensinar outras, seu movimento sairá do controle. **Seu alvo tem que ser criar um movimento que não tem controle.** Como já disse antes, a ferramenta que fez nosso movimento explodir foi o *WhatsApp*. Nada se compara aos pequenos grupos, porque eles têm capilaridade, o que faz com que seu movimento continue vivo. Capilarização é o poder que o coração tem de entregar sangue para todo o corpo, o poder de irrigação. Como pai do movimento, tenho que fazer com que todo o meu corpo receba sangue. Quando o sangue chega aos capilares, ele volta venoso para o pulmão, precisando de mais oxigênio. Quem é o líder do transporte? O pulmão. Já o coração é a bomba que impulsiona. Então, este movimento precisa de um pulmão e de um coração. O coração dita as emoções, e o oxigênio que transita pelo sangue são os novos assuntos que devem despertar o interesse.

Se quero ter capilarização, preciso fazer as pessoas sentirem a emoção

Tarefa: quais *drives* você precisa **desinstalar e quais instalar em sua mente?** Descreva-os na tabela abaixo.

Dica: coloque os novos drives em um local que você possa sempre olhar e leia-os em voz alta todos os dias por uma semana.

DRIVES ANTIGOS	DRIVES NOVOS

O MOVIMENTO

O movimento é para quem é líder dos líderes. Jesus, por exemplo, não foi à sinagoga recrutar seus discípulos. Ele escolheu "homens que não tinham nada a ver" e fez com que eles se sentissem participantes da causa. Esses homens receberam tanta energia de Jesus que o trabalho deles, de proclamar o Evangelho de Cristo, incomodou tanto os religiosos ao ponto de assassiná-los. No entanto, foram eles que se entregaram e não recuaram diante das prisões e da morte.

Os discípulos não pararam de fazer o que Jesus mandou e disseminaram a mensagem.

A mensagem mais poderosa da Terra é a liberdade. Qualquer que seja seu nicho, é com esta mensagem que você deve se importar. Se estou promovendo liberdade para uma pessoa, ela poderá voar. Muitos estão vivendo como escravos, então crie liberdade para essas pessoas.

E o que você faz? Quem fala de finanças deve criar o movimento da liberdade, não apenas a financeira, pois existem pessoas que já têm isso. Elas têm tanto dinheiro para administrar que "precisam ficar olhando para ele o dia todo", e não são livres para voltarem para casa quando quiserem. A liberdade financeira é um ramo da árvore chamada "Liberdade". Se ficar prometendo só liberdade financeira, você está enganando a pessoa. Tem que prometer o movimento de liberdade. Pode começar a soltar frases malucas, tal como: "Você tem visto seu filho crescer na horizontal ou na vertical?". Horizontal é aquele que vê seu filho dormindo quando sai para trabalhar e, quando volta, ele já está dormindo de novo. "Que liberdade é essa que a pessoa tem dinheiro, mas esse dinheiro não paga para ver seu filho 'crescer na vertical'?".

Para criar um movimento forte, você precisa ter uma causa forte! Se você é uma pessoa *"miojo"*, atrairá gente que gosta de comer *"miojo"*. O que te faz ganhar respeito e deixar o movimento mais forte é você permitir que as pessoas observem as coisas que estão acontecendo à sua volta. Elas amam "pessoas reais"! Não tente camuflar quem você é, seja transparente em tudo que fizer. Mesmo que pareça que você perderá algo, seja verdadeiro. Se as pessoas tiverem um "pingo" de desconfiança, começarão a sair do seu movimento. E depois de instalar os *drives*, você tem que fazer o **contorno de objeções** para tirar as incertezas. Todo cérebro opera com dúvidas. A maioria das pessoas não tem uma vida poderosa em Deus, porque duvida dEle, e toda dúvida gera distanciamento. Para que a pessoa confie em seu produto, você deve deixar clara a sua intenção. Seja transparente e transborde! Quando souber contornar as objeções, as pessoas vão tirando as dúvidas a respeito de você e do seu produto.

Outro ponto importante que precisa estar claro é que o produto é para poucas pessoas. Se você for bom em captar e atrair *leads*, converterá de 2 a 3% do seu BD, mas poucos conseguem isso, a maioria converte 1% no máximo. Existem casos de conversão de 12%, em lançamentos pequenos, porém esse não deve ser o seu foco.

Em um lançamento da nossa empresa, o *expert* me pediu para fazer um contorno de objeções. Ele é um dos melhores do Brasil em argumentar, mas me pediu porque conhece o método que uso. A equipe trouxe para mim essa situação em que a pessoa dizia assim: "Esse cara não é rico? Por que ele precisa vender *infoproduto*?" **Pega o código: para contornar uma objeção, basta ouvi-la, porque a resposta está na própria objeção.** Minha resposta foi a seguinte: *"Isso é apenas o começo, ele está transbordando sua riqueza e disponibilizando para quem tem interesse. Se você quer aprender com ele, tem a oportunidade de se conectar no formato digital! Mas se não tem interesse de avançar, nem de se conectar com ele, isso não foi feito para você!"*. Quando você faz um negócio desses, bate na pessoa com tanta força que contorna a objeção com a própria objeção dela.

A maioria das pessoas nunca comprou um *infoproduto* e tem medo de comprar o primeiro. Então, você precisa contornar essa objeção e ensiná-la a fazer a primeira compra. E há outro problema: a média no Brasil de pessoas que terminam os cursos digitais que compraram é de 7%. Eu falo esse dado real e as pessoas ficam com medo. Posso vender um produto que funciona, mas, se a pessoa não terminar o curso, como vai funcionar para ela?

Analisando os dados de mais de 50 mil alunos de todos os meus cursos, você notará que acima de 90% consegue terminar. Se você não nasceu para ensinar, não apareça na Internet para ganhar dinheiro, porque criará caos na vida das pessoas. Você pode até não ter o dom de ensinar, mas, se tem vontade de transbordar, se importará que a pessoa termine o curso.

Certa vez, um dos meus sócios me disse que não se importava com isso, pois o importante era vender. No entanto, como tinha "bom senso", retrocedeu e entendeu que é indispensável ter um compromisso com as pessoas. Investimos muito dinheiro "enchendo o saco" delas para terminarem, e a dica é liberar o acesso por fases. Só libere a próxima depois que a pessoa terminar a que está fazendo. Outra forma de ajudar é usando parte do dinheiro do lançamento em ligações para perguntar se ela está precisando de ajuda. Há pessoas que querem se sentir amadas, mas, por não terem isso, não conseguem concluir o que começam. Então, você entrega sua energia para gerar transformação na vida dela.

Na época em que eu trabalhava em uma multinacional, criei um movimento dentro do RH treinando a minha equipe para não ser demitida no final do ano. A empresa precisava demitir 60 pessoas, pois não tinha dinheiro para pagar todos os funcionários. Como eu era o instrutor "novato", essas pessoas sairiam das minhas equipes. Elas eram minhas duas primeiras turmas, e eu precisava mostrar resultados. Pensei: "Vou dar tudo o que eu tenho para não demitir ninguém". Foi um treinamento intenso, que passava do horário de trabalho, com provas muito difíceis sugeridas por mim, para todas as turmas. Quando terminamos o processo, nenhum funcionário foi demitido e até hoje eles me agradecem. Então, não há nenhum esforço que você faça que não tenha uma recompensa. Sempre que dei tudo que eu tinha, voltava com muito mais do que poderia imaginar.

Onde está o segredo dos maiores lançamentos? Em dar tudo que você tem! Eu entreguei noites de sono, tempo de qualidade e muitas outras coisas. Esse negócio é assustador! Minha prosperidade financeira, que é assustadora, é fruto de entregar tudo o que tenho. Se fizer o mesmo, você deixará de ter resultados "balelas". **O segredo da vida está na ação!** Mesmo que você não faça errado, faça com boa intenção. **"Se você errar, vá ajustando a vela e tocando o terror".**

Quando existe uma liberdade poderosa para ser propagada, as pessoas começam a chamar outras para fazerem parte desse movimento e, automaticamente, se conectarão ao autor dele: você!

Tarefa 1: escreva abaixo o "movimento de liberdade" que você gerará com o seu conteúdo.

_____

_____

_____

_____

_____

_____

_____

Tarefa 2: crie formas de expandir o movimento. Pense em oito ideias malucas, infantis e divertidas para ampliar o impacto da sua causa. Faça isso em cinco minutos, e não se preocupe com o "como".

1	2
3	4
5	6
7	8

Tarefa 3: faça uma análise das respostas anteriores e escolha uma ideia para executar ainda esta semana.

A ABERTURA DO COFRE

As coisas deixam de ser simples devido à forma com que você olha para as situações. O modo como olha para as coisas determina como elas serão. Seu filho será da forma como o vê e o educa por meio do seu olhar. Se os seus olhos forem puros, todo seu corpo também será. Uma pessoa complexa olha para as coisas simples e não consegue entendê-las. Não é fácil fazer dinheiro no marketing digital, na Internet ou em qualquer outro lugar, mas é muito simples! O produto mínimo viável, ou **MVP**, é uma forma simples de você começar, é uma série de experiências que você faz para testar a viabilidade do seu negócio.

Cada vez que você testar uma coisa nova na Internet, um dos números do código do seu cofre será liberado e a maior transferência de riqueza que você já viu vai acontecer.

A vida é feita de testes e, no marketing digital, não é diferente. Testar é o segredo para quem quer chegar ao alvo que deseja alcançar e, no momento que isso ficar claro para você, o "jogo" muda. Para prosperar absurdamente, o que mais você tem que fazer na vida é testar. Começou uma amizade que não deu certo, foi um teste. Testará um negócio, mas ele não fez seu coração explodir? Significa que não está ligado ao seu propósito. Então, teste outra coisa. **O importante não é começar bem, é começar testando!**

Muitas pessoas não prosperam simplesmente, porque não fazem testes. Algumas preferem viver se arrastando com coisas que não estão funcionando. Por exemplo, você quer mudar de profissão, mas não tem coragem de testar. Por isso, passará a vida inteira fazendo a mesma coisa, porque seu cérebro, para não gastar energia, sempre vai preferir a zona de conforto. Contudo, a vida é de quem é livre e a liberdade te deixa sem medo de testar. O movimento que fiz intencionalmente em setembro de 2020, em que gastei milhões de reais, foi um teste. E olha que louco: eu decidi fazer um *reality* em uma sexta-feira e, após seis dias, tudo estava acontecendo. Todos que assistiram ao vivo perceberam que foi assim. Pessoas que não têm o código do teste instalado na mente não fazem um evento desse sem ter, no mínimo, seis meses de planejamento. Um teste serve para você conhecer formas melhores de resolver problemas, principalmente os seus. Para resolver os problemas de outras pessoas, você deve ser bem pago por isso.

Você pode viver como está ou testar alternativas. No meu *reality show*, o *La Casa Digital*, aconteceu um atraso no áudio durante a transmissão ao vivo. Era o tipo de problema que deixaria muita gente apavorada, mas usei isso como um teste acidental. Havia, pelo menos, quatro possibilidades para continuar a *live*: usar um celular para fazer a transmissão com a Internet 4G, fechar e abrir novamente o servidor, interromper a *live* ou sugerir que as pessoas, que estavam assistindo, apenas ouvissem o áudio, até o problema se resolver. Caso chegasse ao extremo de não conseguir fazer a transmissão ao vivo, a solução seria gravar o programa e postar no *YouTube*. **Esse é um código: você tem sempre mais de uma opção para resolver um problema.**

No momento em que entender que testar é um dos códigos da prosperidade, você começará a experimentar seus próprios resultados. Muitas pessoas se tornaram milionárias não por terem "acertado de primeira", porém por terem somado todos os seus fracassos. Quando você aprende a fazer testes, você não para de crescer, assim os prejuízos iniciais são "engolidos" pelos bons resultados.

Comece a testar, registre o máximo de códigos que você der conta e destrave o seu cofre!

As coisas deixam de ser simples devido à forma que você olha para as situações.

CONHEÇA
TODOS OS LIVROS

Pablo Marçal

Método IP

PERO QUE VOCÊ TENHA FEITO AS TAREFAS E CURTIDO ESTE LIVRO.

te é um convite - na verdade, uma convocação - para nos vermos pessoal-
ente no método IP. Quero lhe dar um abraço, olhar nos seus olhos e
rceber a transformação que começou neste livro, pois você vai pasar
ra próxima fase quando nos virmos no método IP.

gue seu celular aí e leia o QR code. Você vai ver que tem algo meu para
cê, fechou? Tamo junto até depois do fim, isso é só o começo.

aprenda algo, não olhe para trás. Continue marchando para o alvo, é não
preocupe em chegar antes ou depois de ninguém, não. Você só tem que
avessar a linha de chegada, e eu vou estar lá o esperando.

AI PRA DENTRO

Pablo Marçal

**CONFIRA NOSSOS
LANÇAMENTOS AQUI!**